Mon chemin de Compostelle

Shirley MacLaine

Mon chemin de Compostelle

Un voyage de l'esprit

*Traduit de l'anglais (Etats-Unis)
par
Yolande du Luart*

Plon

Titre original

The Camino
A Journey of the Spirit

ISBN original : Pocket Books (Simon & Schuster,
New York) 0-7434-0072-0
ISBN Plon : 2-259-19374-9

Pour Kathleen

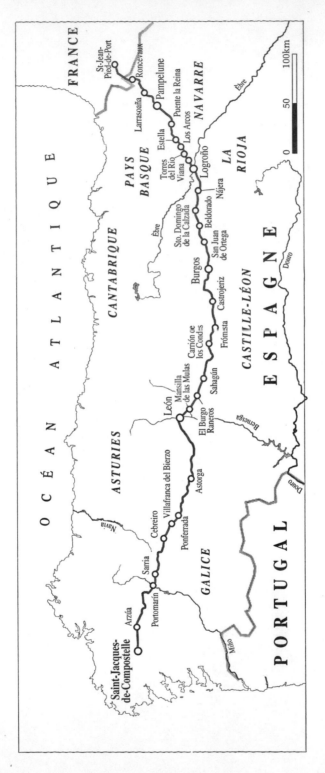

ITINÉRAIRE DU PÈLERINAGE

Introduction
Le voyage commence

Chacun a sa propre croyance, qu'elle soit philo
sophique ou religieuse. L'Esprit, c'est autre chose.
Pour moi, l'Esprit est en fait la manifestation simultanée d'une énergie subtile et invisible, de tout ce que
nous connaissons, de tout ce qui nous est physiquement tangible et qui existe dans les cinq dimensions.
L'Esprit vibre à une fréquence plus élevée que la
dimension matérielle. Il est la réalité supérieure.
L'Esprit se manifeste comme la vie qui anime la forme.
Ainsi, je me suis mise à croire que la surface de la Terre
est la matière et la forme à travers lesquelles circule
une subtile énergie spirituelle et électromagnétique.

De même que les êtres humains sont les véhicules
physiques par lesquels s'exprime leur moi spirituel et
multidimensionnel, de même, la Terre géologique est
le véhicule physique par lequel se manifestent des
mémoires anciennes et un Esprit intérieur vivant.

Pour quelle raison, alors, si l'Esprit circule à travers
la Terre et les êtres vivants, le monde est-il dans un état
si lamentable ? Je ne pouvais admettre la violence ni,
en utilisant le vieux cliché, l'« inhumanité de l'homme

envers son semblable ». Les désordres météorolo-
giques contribuaient à ma confusion car ils sont exces-
sifs, ce qui m'a confirmé une fois de plus ce que j'avais
appris jadis au cours de mes recherches spirituelles et
métaphysiques – que la nature elle-même est en phase
avec la conscience humaine. Il m'était donc difficile,
ainsi qu'à d'autres, de demeurer optimiste sur l'avenir
de l'humanité.

Bien sûr, Hollywood et l'industrie du spectacle qui
ont toujours fait partie de ma vie reproduisent des
valeurs qui reflètent notre société et qui m'apparaissaient comme un cycle sans fin témoignant de la désintégration de la morale, de la sensibilité et des valeurs
spirituelles avec lesquelles – en tant qu'Américains –
nous étions supposés avoir été élevés. Qu'étions-nous
en train de faire de nos vies ? Quelles étaient nos priori-
tés ? Que désirions-nous pour l'avenir et celui de nos
enfants ? Et pis que tout, pourquoi avions-nous si peu
de respect pour nous-mêmes ?

Aujourd'hui, depuis que je suis entrée dans le troisième âge, je constate que j'éprouve non seulement
colère, solitude et angoisse au sujet de l'avenir incer-
tain qui nous attend, mais aussi la crainte que nous
soyons maintenant presque entièrement déconnectés
d'avec notre destinée originelle.

J'ai une fille, deux petits-enfants, un frère et quatre
neveux et nièces. Mes parents sont décédés et je me
demandais combien de temps me restait encore à vivre
l'aventure physique de ce monde. Néanmoins, je me
sentais plus créative qu'auparavant et je possédais suffisamment d'argent. J'avais cinq ou six amis avec lesquels je pouvais communiquer à tous les niveaux (une
exception), un corps sain, un esprit en bon état (bien
que quelques acteurs comiques ne soient pas d'accord)
et une vie « sans souci », enviable pour ceux qui sont
étouffés par les exigences des responsabilités. Parfois,
à cause de la propagande sociale et du lavage de cer-

veau ambiants, il m'arrivait de me sentir seule, mais en y réfléchissant, je prenais conscience avec soulagement que je menais exactement la vie que je voulais... libérée d'une relation entre mari et femme, des rigueurs et des contraintes de l'éducation d'une famille (mari inclus), sans l'assujettissement d'un travail qui ne me plaît pas. J'étais libre de faire ce que je voulais, à l'avenir. Mais là était la question cependant... pour quel avenir ?

Devrais-je renforcer mon toit à cause des prédictions sur la violence des vents ? Y aurait-il un krach mondial de la Bourse ? Les éclats soudains du Soleil allaient-ils perturber les communications ? Y aurait-il un gouvernement unique qui régenterait le commerce mondial ? Les virus qui infestent l'humanité deviendraient-ils de plus en plus virulents parce que nous détruisons les forêts qui sont leur habitat naturel ? Allions-nous devenir une société si accro à la technologie que la convivialité humaine s'en trouverait amoindrie ? Notre environnement était-il atteint au point de ne plus pouvoir nous procurer une vie saine ? Sommes-nous seuls dans l'univers ? Et sinon, quelqu'un viendrait-il à notre secours – ou pour nous exterminer ? Et Dieu, était-il en vacances ? J'avais évidemment encore plus de questions que je n'en pouvais imaginer. Eh oui... je me trouvais à une époque de ma vie où j'avais bien mérité le temps de rêver.

Peut-être est-ce parce que j'étais si libre et si disponible que j'ai eu le temps – et l'énergie – de réfléchir sur le sens de ma vie et de celui des autres. Mon imagination pouvait aller et venir dans le temps passé et futur jusqu'à me projeter dans une sorte de temps spirituel qui me procurait quelques réponses. Mais j'anticipe sur mon récit.

Il existe un pèlerinage célèbre emprunté depuis des siècles par des milliers de pèlerins, le Chemin de Saint-Jacques-de-Compostelle qui traverse le nord de l'Espagne. On dit que le « Chemin » – ou la Voie – se trouve directement sous la Voie lactée en suivant des lignes de force électromagnétiques qui reflètent l'énergie des étoiles au-dessus de lui.

Les philosophies orientales nomment *prana* l'énergie spirituelle de la Terre. Ce *prana* est lié à l'énergie du Soleil, procurant ainsi la source de toute vie.

L'énergie vitale est particulièrement active le long des lignes de force, nommées *ley lines* en anglais. Elles forment la structure essentielle de l'esprit subtil de la terre. Elles sont généralement droites et varient en largeur et en intensité. L'intersection de deux lignes de force ressemble à un sablier, le milieu, resserré, pénètre dans la surface de la Terre. Ainsi, son énergie se répartit également sous et sur la surface de la Terre ; elle se manifeste à très hautes fréquences et lorsqu'elle est expérimentée par une conscience humaine, elle produit une pensée claire, une mémoire et, parfois, la révélation.

L'énergie des lignes de force accroît le rythme de vibration de la matière à la fois éthérée et dense qui compose le cerveau humain. Cette stimulation produit une conscience plus concentrée et plus profonde ainsi qu'une connaissance jusque-là refoulée.

Cela peut être troublant et effrayant car cela implique qu'à travers cette énergie, on devient un être humain aux qualités psychiques développées – pour le meilleur ou pour le pire.

Les lignes de force ne transmettent pas seulement l'énergie spirituelle de la Terre en conjonction avec le Soleil, mais aussi celles qui sont connectées avec d'autres systèmes stellaires et d'autres galaxies.

Le Chemin de Compostelle commence en France, en suivant les lignes de force de la Terre ; il traverse les Pyrénées et poursuit sa route vers l'ouest, à travers la Galice, jusqu'à la magnifique et célèbre cathédrale, Santiago de Compostela, où les restes de saint Jacques le Majeur auraient été enterrés.

Je n'ai jamais cru à la religion, cherchant plutôt du côté de la spiritualité. Ce qui m'a intéressée dans le Chemin de Compostelle, c'était l'énergie de ces lignes de force, ainsi que le défi que représente le fait de marcher seule pendant huit cents kilomètres, en devenant vulnérable et sans appui, comme la plupart des pèlerinages l'exigent. L'expérience d'un abandon total à Dieu et au moi est ce qui motive, chez la plupart des gens, la tentative de suivre le Chemin de Saint-Jacques-de-Compostelle.

Je me trouvais au Brésil en 1991, quand l'idée du pèlerinage m'a passé par la tête pour la première fois. J'y faisais mon « one woman show » lorsque celui qui organisait mes tournées, Michael Flowers, m'a transmis une lettre manuscrite et non signée. Michael trie souvent mon courrier et choisit ce qui lui paraît important avec une intuition remarquable. Permettez-moi de faire une digression en parlant de l'intuition de Michael. Il a organisé mes spectacles pendant près de trente ans. J'ai confiance en son jugement au point que lorsqu'il me dit que quelque chose dont je n'ai pas entendu parler est important, je l'écoute. Il est capital de souligner ce point parce qu'il jouera plus tard un rôle essentiel dans mon récit. Je reçois toutes sortes de demandes. Les plus « profondes » et les plus dingues concernent des sujets métaphysiques, spirituels et extraterrestres. Un jour, alors que j'étais en représentation en Afrique du Sud, Michael a reçu une demande d'une mère et de sa fille qui voulaient me voir parce qu'elles avaient eu une rencontre du troisième type avec des extraterrestres des Pléiades. Je les ai reçues toutes les deux. Elles semblaient saines d'esprit et cohérentes. Lorsqu'elles eurent terminé le récit de leur rencontre, je leur demandai quand elles comptaient revoir leurs nouveaux amis de l'espace. Elles répondirent que leurs visiteurs avaient promis de revenir lorsque la maison blanche serait repeinte en rose. Elles n avaient pas compris le sens de cette remarque jusqu'au moment où elles m'en parlèrent. En voici la raison. Mon ranch au Nouveau-Mexique est situé dans une région isolée où les histoires d'extraterrestres abondent. La maison était rose quand je l'ai achetée. Mais après mûre réflexion, j'ai décidé de la faire peindre en blanc. Je n'ai pas encore assisté au retour des extraterrestres, mais c'est une pensée qui me hante.

En tout cas, la lettre que j'ai reçue pendant que je jouais au Brésil affirmait sans équivoque que je devrais accomplir le pèlerinage de Saint-Jacques-de-Compostelle. Rédigée à l'encre, elle m'implorait de faire le pèlerinage si j'étais vraiment sérieuse dans mes écrits et mes recherches spirituelles. Intriguée, j'en parlai à quelques-uns de mes amis qui avaient fait le pèlerinage, et, en fin de compte, j'oubliai cette lettre. Trois ans plus tard, de nouveau en tournée au Brésil, j'ai reçu une lettre non signée, de la même écriture, déclarant que si je continuais à entretenir les gens du développement spirituel, je devais absolument faire le pèlerinage de Compostelle.

Mon amie brésilienne, Anna Strong, était du même avis. Elle dirigeait des séminaires de méditation et d'équilibre intérieur. J'avais confiance en elle, sachant qu'elle avait accompli le pèlerinage et qu'elle avait aidé d'autres personnes à le suivre. Elle m'informa sur ce qui m'attendait et me dit qu'elle me retrouverait à Madrid pour m'aider à m'y préparer. J'annulai le tournage du film que je devais faire pendant l'été et j'annonçai à mon agent qu'à la place, j'allais marcher à travers la Galice. Habitué à mes coups de tête intempestifs, il me conseilla d'acheter une bonne paire de chaussures et se résigna à cette idée.

– En plus, tu pourras peut-être en tirer un bon livre, ajouta-t-il.

– Okay... D'accord.

Le Chemin de Compostelle a été suivi depuis des siècles par des saints, des pécheurs, des généraux, des paumés, des rois et des reines. Le but du pèlerinage consiste à trouver au plus profond de soi un sens spirituel et une solution à nos conflits. Dans les temps anciens, l'énergie du Chemin était bien connue et permettait aux pèlerins de réfléchir sur eux-mêmes et de mieux se connaître.

Les livres d'histoire retracent le pèlerinage de Compostelle à l'époque des Celtes, avec leurs légendes et leurs mythes sur les révélations cosmiques – présences multidimensionnelles de gnomes, de fées et de trolls. Mais l'aspect de la légende qui me fascinait le plus était le fait que la piste se terminait à quelques kilomètres à l'ouest de Compostelle, sur l'océan Atlantique, au cap Finisterre qui passait en ce temps-là pour être le bout du monde connu. Je me demandais à quoi ressemblait le monde inconnu. Existait-il une terre disparue avant notre histoire connue ? Cherchions-nous à retrouver cette terre ? Pourquoi le pèlerinage avait-il la réputation de procurer au pèlerin la connaissance de soi et de son destin ? Il y avait pour moi une sorte d'urgence à entreprendre le pèlerinage afin de pouvoir découvrir les secrets de ma propre histoire – plus loin que je ne pouvais l'imaginer –, la certitude obsessionnelle que ma personnalité réelle se révélerait. Mais je n'étais pas préparée à l'impact que cela aurait sur moi.

C'était – et c'est – ma réalité, à laquelle je m'accorde encore. Ma spiritualité et le voyage de mon âme à travers le temps correspondent à la découverte authentique de ma capacité à me trouver en phase avec le Divin. Il s'agit d'un état de conscience théopathique. Quand le voyage de l'âme est reconnu, une stabilisation des émotions s'opère. Sans nul doute, mes émotions et celles du monde étaient déséquilibrées lorsque je commençai le pèlerinage. J'en ai compris les raisons pendant le voyage. Beaucoup de gens considèrent le Chemin de Compostelle comme une randonnée religieuse. C'est compréhensible, en raison des symboles religieux environnants, des églises et de l'influence que l'Eglise catholique exerce sur les pèlerins. Mais je constatai aussi que la domination religieuse des temps anciens s'était atténuée face au monde scientifique d'aujourd'hui qui privilégie des « faits » scientifiques et technologiques.

Les observateurs scientifiques du comportement humain qui refusent de tenir compte de leurs propres émotions perdent le sens de la réalité. Ils ne respectent pas les sensations et les sentiments individuels. Leurs propres émotions sont déshumanisées et remplacées par des « observations collectives » auxquelles le monde adhère. Ils ne se permettent plus d'être humains. Si leurs observations ne sont ni rationnelles ni « scientifiques », les voilà mis au ban de la société. Même la manifestation d'un sentiment est mal jugée dans leur univers. Ils prétendent étudier l'être humain, mais en réalité, ils instituent une nouvelle mentalité qui s'interdit la capacité de sentir.

Ainsi, la science s'est-elle libérée de la domination de l'Eglise, pour contrôler à son tour la vérité d'aujourd'hui. Les chaînes n'ont fait que changer de main. Le nouveau maître de la vérité est devenu la science dont les effets se manifestent sur le comportement humain. Sans la reconnaissance du voyage de l'âme à l'intérieur de nous-mêmes, nous sommes perdus et ne sommes qu'un fragment de ce que nous devions être originellement.

Je pense que la douleur si souvent éprouvée dans le monde actuel peut être envisagée comme un exercice destiné à nous purger du passé afin de faire place à la joie qui nous appartient de droit. En tant qu'êtres humains, nous avons l'obligation morale de rechercher la joie. Alors, nous sommes alignés avec le divin. Mais nous devons assumer ce qui a précédé notre compréhension du sens de nos vies. Là réside la source de nos conflits, de notre confusion, de notre haine, de notre rupture avec Dieu et nous-mêmes. Si nous sommes capables de faire la paix avec nos émotions passées, nous aurons la capacité de rechercher la joie.

Pendant mon pèlerinage sur le Chemin de Compostelle, j'ai eu l'impression de voyager à reculons dans le temps vers un lieu où ont commencé les expériences qui ont abouti à ce que les autres et moi sommes devenus aujourd'hui. Oui, je peux affirmer qu'il s'agissait d'une expérience mythologique et imaginaire, mais qu'est-ce qu'un mythe et qu'est-ce que l'imagination ? Les fantasmes de la conscience sont fondés sur une mémoire, sinon pourquoi sont-ils là ?

1

Où que j'aille, j'aime voyager léger. Pourtant, quatre kilos de bagages, c'était nouveau pour moi. Mon amie brésilienne, Anna Strong, m'avait prévenue que chaque gramme dans mon sac à dos pèserait une tonne au bout de quelques semaines. Les chaussures, essentielles, devaient être soigneusement choisies – une paire pour la marche et une paire à enfiler à la fin de la journée. J'ai toujours eu des problèmes avec le bruit pendant mon sommeil. Je savais que j'allais dormir dans des refuges en compagnie d'autres pèlerins qui ronfleraient, tousseraient, bavarderaient et rêveraient tout haut. Je me demandai si je pouvais emporter mon transistor. Non – trop lourd. Je ne pourrais pas transporter les batteries. Je choisis à la place des boules Quiès, bien que mon homéopathe et mon acupuncteur m'aient prévenue que celles-ci obstruaient les méridiens des reins. J'emportai un sac de couchage léger, deux paires de chaussettes, deux petites culottes, deux T-shirts, une serviette, un gant de toilette, un savon, un short, des jambières légères pour me protéger du soleil, des remèdes homéopathiques (contre les allergies, la nausée, les blessures et les bleus), ainsi que des pansements, de la gaze, du ruban adhésif, une bouteille d'eau (il y aurait dans chaque village des fontaines d'eau de source), mon passeport, des carnets, un livre d'adresses, quelques cartes de crédit (que je me jurais de ne pas utiliser), un peu d'argent (dont j'espérais ne pas me servir), une veste en Goretex, un pantalon en Goretex, un pull-over (puisque je marcherais aussi bien par temps froid que chaud), un chapeau de paille, des lunettes de soleil, de la Mélatonine pour dormir et mon précieux petit magnétophone avec ses minuscules cassettes.

Je suis Taureau, donc une personne qui accumule les choses. J'ai immédiatement compris que ce voyage constituerait un examen de ce qui m'était essentiel. « Le Chemin et son énergie te procureront ce dont tu auras besoin, m'avait dit Anna. Ils te diront quoi jeter – en conséquence, tu deviendras modeste. Tu sauras que ton corps est un temple et non une prison. Tu découvriras ton essence. » Elle ajouta que je trouverais un bâton qui m'aiderait à marcher. Il se manifesterait pour me venir en aide. Mes pieds s'imprégneraient de l'énergie de la Terre. C'est pourquoi il est infiniment préférable de marcher sur le Chemin plutôt que de rouler dans un véhicule. Je recevrais des messages du Chemin comme s'il me parlait, jusqu'à ce que je devienne moi-même le Chemin de Compostelle avec son histoire.

Je rencontrai d'autres personnes qui avaient entrepris le pèlerinage. Elles me conseillèrent de ne pas trop manger et de boire beaucoup d'eau – au moins deux litres par jour. Il y aurait de nombreux bons restaurants mais il valait mieux se contenter de l'énergie du Chemin qui incitait à se défaire du superflu. Je ne devrais avoir peur de rien – le gouvernement espagnol protégeait les pèlerins et avait promulgué des lois sévères contre toute entrave à leur marche. On me dit qu'il valait mieux marcher seule, bien que je dusse rencontrer toutes sortes de gens en cours de route. Ce que j'emporterais avec moi serait une distraction. Il me faudrait apprendre à lâcher prise. Et je devrais me préparer à mourir, car le fait d'entreprendre ce pèlerinage signifiait que j'étais prête à abandonner les valeurs qui avaient ouvert des sources de conflits dans ma vie.

Je dois dire honnêtement que je n'avais pas peur de mourir. J'en avais assez de la vie que j'avais vécue jusque-là. J'étais prête pour une nouvelle prise de conscience qui me projetterait en avant pour le restant de mes jours.

Durant ma préparation, j'ai voulu m'entraîner à marcher avec mon sac à dos.

J'emballai tout et, un jour, je décidai d'escalader les collines de Calabasas, en Californie, pour une répétition.

Je connaissais bien cette piste que j'avais souvent empruntée. Tandis que je garai ma voiture à l'entrée, j'aperçus du coin de l'œil un Latino, débraillé, pieds nus, les yeux hagards, dissimulé derrière les arbres qui bordaient la piste.

Je l'ignorai et fermai ma voiture à clé. J'enfilai mon sac à dos et commençai ma randonnée. Tâtant dans ma poche mon couteau suisse, j'en tirai un certain sentiment de sécurité. Je résolus de grimper jusqu'à un banc que j'avais repéré en haut du chemin pour me reposer en posant à terre mon sac à dos.

Ainsi commença ma réflexion sur la manière dont j'étais obsédée par mon objectif, si important pour moi que la fin justifiait les moyens par lesquels je l'accomplissais. Je marchai pendant des kilomètres en pensant à ce banc. Mais je passai devant lui sans m'arrêter. Mon sac à dos pesait de plus en plus lourd et la marche était fatigante. Je m'arrêtai et glissai un comprimé de vitamine C dans ma bouteille d'eau. J'en bus quelques gorgées et me remis à marcher. Je m'arrêtai enfin, épuisée, en me rendant compte que j'avais dépassé le banc depuis longtemps. La signification de ce détail ne m'échappa pas. J'étais déçue par mon excès de zèle. J'avais néanmoins souvent eu ce genre de comportement, m'éloignant de l'itinéraire que je devais parcourir en raison de mon désir intense d'atteindre mon but. Peut-être est-ce la clé de la « réussite » dans notre monde ? J'en étais un exemple vivant, cependant ce que je recherchais à présent était le sens véritable de la « réussite ». Mais il faut d'abord accomplir une version du succès pour savoir qu'il existe une autre version.

Je fis demi-tour, retournai sur mes pas et, au bout de quelque temps, je reconnus le banc. Je résolus de ne pas m'y asseoir et continuai ma descente. En arrivant à ma voiture, je trouvai le Latino encore plus paumé qu'avant.

– Puis-je faire quelque chose pour vous ?

– Mes pieds me brûlent parce que je n'ai pas de chaussures, dit-il, j'ai besoin d'être ramené à ma voiture.

Je pris conscience que je parlais à un homme d'origine espagnole et j'eus l'impression de vivre un événement futur sur le Chemin de Compostelle. La pensée « Je dois être bonne à l'égard des étrangers » me traversa l'esprit.

Je lui proposai de l'accompagner jusqu'à sa voiture, qui ne devait pas être loin. Il s'installa à côté de moi. Il était sale et sentait mauvais.

– Je ne sais pas pourquoi je fais ça, dit-il dans son état confus.

– Quelquefois, nous agissons pour des raisons que nous ne comprenons pas, dis-je en pensant à ce que j'allais entreprendre dans une semaine sans trop savoir pourquoi.

22

Je démarrai et lui dis que j'allais faire le pèlerinage de Saint-Jacques-de-Compostelle. Il parut enregistrer comme s'il savait de quoi je parlais.

– Êtes-vous catholique ? demandai-je.

– Oui, dit-il en hochant la tête.

– Faites-vous pénitence ?

Il fit signe que oui.

– Et vous ? me demanda-t-il.

– Non, je ne pense pas.

Alors, il se mit à regarder mes seins avec insistance. J'avais décidé de ne pas porter de soutien-gorge sur le Chemin parce que les bretelles me faisaient mal avec le sac à dos. J'ai pourtant songé sur le moment qu'une telle suppression pourrait être provocante. Je me demandai si ma préoccupation s'était transformée en réalité.

L'homme continuait à fixer ma poitrine. « Oh mon Dieu ! songeai-je. Ceci peut devenir dangereux ». Il n'y avait pas un chat à l'horizon.

Finalement, il quitta mon anatomie des yeux et demanda :

– Est-ce que je peux vous faire l'amour ?

Insensé ! Je freinai brusquement en criant :

– Vous êtes dingue ou quoi ? Bien sûr que non, espèce d'idiot ! Je vous ai ramassé parce que vous aviez mal aux pieds, que vous aviez besoin d'eau et que vous vouliez retourner à votre voiture ! Et voilà comment vous vous comportez ! C'est scandaleux...

J'étais furieuse, ce qui parut activer dans son esprit un sens de justice déplacée.

– Vous voilà ! dit-il. Je vous ai *demandé* au lieu *d'exiger* et vous ne voulez pas !

J'ouvris la bouche de surprise. J'étais en danger. Je songeai à me mettre vraiment en colère, mais je vis une expression flotter rapidement sur son visage et cela m'arrêta net. Il ne m'avait pas touchée ni fait d'avances, physiquement.

– J'ai dépassé ma voiture, ajouta-t-il. Laissez-moi descendre.

Il n'y avait pas la moindre voiture en vue.

– Bien sûr.

Il ouvrit la porte côté passager et descendit.

– Écoutez-moi, dis-je, vous devriez surveiller cette pulsion sexuelle, vous savez. Ça peut vous causer beaucoup d'ennuis.

– Oui, merci, me lança-t-il par-dessus son épaule. Je sais. Je le fais tout le temps.

Ensuite, il s'en alla.

Je restai assise, médusée, dans ma voiture. Était-il réel ? C'était comme si je venais d'avoir l'expérience d'une vision. Je me retournai pour le voir encore une fois. Il avait disparu. Il n'y avait ni homme ni voiture. Je me jurai de ne plus avoir peur de me montrer sans soutien-gorge. Je savais qu'il me faudrait beaucoup méditer sur la pensée que la réalité se trouve là où est mon esprit et que j'avais été si préoccupée de mon but – le banc – que je l'avais passé sans le voir. La réalité se trouve simplement là où est l'esprit. Je pus mieux comprendre pourquoi j'étais actrice. Je pouvais exprimer ce dont j'avais besoin. J'avais évoqué un va-nu-pied sale et puant, ce qui m'avertissait que le Chemin était féminin. Donc, la sexualité humaine se manifesterait. Tout le monde m'avait répété que le Chemin offrait à ceux qui le parcouraient une aventure amoureuse. C'était le choix personnel de celui qui l'acceptait ou non. Quelques semaines plus tard, j'allais faire face à ce choix.

2

La plupart d'entre nous ont une amie qui communique avec notre âme. Quelqu'un (si nous avons de la chance) avec qui nous pouvons parler de tout. Kathleen Tynan était pour moi cette amie. Elle était très intelligente, ce qui ne l'empêchait pas de prendre du bon temps. Très sociable, elle appréciait les restaurants, les fêtes et les discussions intéressantes. Anglaise, intellectuelle, d'une grande beauté, Kathleen ne partageait pas entièrement mes intérêts spirituels. Elle était curieuse mais tentait de me dissuader de publier mes élucubrations métaphysiques. Elle les trouvait dingo et disait que cela ruinerait ma carrière si je les communiquais au public. Lorsqu'elle constata que rien de la sorte ne se produisait – à part quelques plaisanteries –, elle s'accoutuma à mes recherches. Elle était une amie très honnête comme l'avait été son mari décédé, Kenneth Tynan, l'écrivain et le critique réputé.

Kathleen continua à porter son alliance après la mort de son mari malgré ses liaisons avec d'autres. Ken avait été son point d'ancrage, son inspiration et l'homme qui était le lien (ou son substitut) avec son père. Elle paraissait se servir des hommes pour comprendre ce que son père avait représenté pour elle.

Lorsqu'elle me rendit visite à Malibu, habitant chez moi pendant des mois – à mon grand plaisir –, je remarquai l'ambivalence avec laquelle elle contemplait l'océan, fixant la mer et le ciel pendant des heures, perdue dans une contemplation résignée. Je me demandai si elle méditait sur la spiritualité qu'elle ne reconnaissait pas dans sa vie. Je compris qu'il y avait bien plus que cela. Kathleen était en train de mourir d'un cancer du côlon, et elle ne l'ignorait pas. Ses médecins ne trouvaient rien, mais elle savait. Un IRM lui donna raison. Ils furent stupéfaits en découvrant une tumeur de la taille d'un avocat.

La façon de mourir de Kathleen m'a étonnée. Son père était mort quand elle était adolescente. Avant que son cancer ne se développe, pendant les dernières années de sa vie, elle manifesta le désir de mieux le connaître. Elle retrouva des articles qu'il avait écrits – il était grand reporter –, parcourut les archives de la famille, interviewa des gens qui l'avaient rencontré et fouilla dans ses souvenirs d'enfance pour retrouver quel genre de relations il avait entretenues avec sa mère, avec qui Kathleen avait eu peu d'affinités.

Si ses liaisons avaient été des passerelles vers son père, à présent, elle sentait la nécessité de le connaître à nouveau. Je rangeai mes observations dans un coin de ma tête jusqu'à ce que j'apprenne qu'elle avait un cancer. Je me demandai si la maladie n'était pas le moyen le plus rapide pour elle de retrouver l'homme qu'elle avait aimé et qui lui manquait le plus.

Quand je lui téléphonai de Londres pour lui annoncer que j'allais entreprendre le pèlerinage de Compostelle, elle savait de quoi il s'agissait, car elle l'avait suivi en voiture quelques années auparavant avec Ken et les enfants.

– En fait, c'est le dernier voyage que nous avons fait ensemble, dit-elle,... un voyage de réconciliation. Ken, sous oxygène dans la voiture – il souffrait d'emphysème –, fumait et riait malgré tout avec les enfants, à l'arrière, pendant que je conduisais en essayant de trouver un sens à la vie, même s'il n'y en avait pas.

Elle ajouta que ce pèlerinage, même en voiture, avait constitué l'apogée de leur relation. Le 26 juillet, un an plus tard, Ken mourut. Elle parut heureuse que je fasse le Chemin et exprima le désir de me voir à Londres avant que je ne parte pour l'Espagne.

– Les métastases ont envahi mes os, dit-elle. Alors le plus tôt serait le mieux.

L'humour de Kathleen sur la mort de Ken et sa propre situation était si anglais que j'en avais le souffle coupé.

Je dis adieu à mes amis californiens qui versèrent quelques larmes, pour la plupart, à l'occasion de mon départ. J'étais souvent partie en voyage mais cette fois, c'était différent. Ils connaissaient les dangers éventuels mais, à cette occasion, ils avaient dû percevoir quelque chose de plus. Mon amie Anne-Marie me conseilla de prendre quarante jours pour l'accomplir car c'était la durée du séjour de Jésus dans le désert. Les gens qui travaillaient pour moi (mes amis) ne comprenaient pas pourquoi je prenais ce risque. Ma fille et mon frère, habitués à mes errances, détachés, dirent : « Amuse-toi bien ! » Mon amie Bella Abzug pensa qu'il s'agissait encore d'une folle aventure spirituelle dont elle refusait de se préoccuper. Deux de mes amis proches se rendirent à mon ranch du Nouveau-Mexique pour conserver l'énergie là-bas. (Ils avaient tous deux du sang indien et comprenaient que l'énergie de la terre nécessitait de l'équilibre bien que je me trouve à l'autre bout du monde.) La femme qui s'occupait de moi, une gouvernante, me conduisit à l'aéroport. Nous nous embrassâmes ; elle pleura, et je la remerciai d'être aussi compréhensive.

En arrivant à l'appartement de Kathleen à Londres, son apparence me bouleversa. Comme sa maladie avait progressé ! Elle était absorbée par la rédaction de son deuxième livre sur Ken, une compilation de ses lettres et de ses notes, qu'elle avait conservées pendant des années. Kathleen était d'une beauté aux proportions si exquises qu'elle éblouissait et empêchait les observateurs de constater la souffrance qu'elle dissimulait. Elle me faisait honte avec mon honnêteté américaine « du cœur sur la main ». Elle était une rose dont chaque pétale révélait un élément intéressant. Peut-être notre intimité était-elle simplement fondée sur le fait que nous avions toutes deux une origine canadienne. Ma mère était canadienne. Kathleen, née au Canada, avait longtemps vécu en Angleterre, adoptant les habitudes des Anglais et leur sens de la discipline.

Dans la souffrance physique, sa rigueur était extraordinaire. Elle désirait se rendre à une fête donnée à Londres par l'éditeur, Lord Weidenfeld. Elle pouvait à peine s'habiller et même marcher, mais elle avait décidé de faire taire les rumeurs sur sa maladie. Je l'aidai à s'habiller et à se maquiller. Je louai une voiture. Je lui avais juré le secret. Ma mission pour la soirée était de répandre le bruit que Kathleen était en grande forme. Des souvenirs me hantent encore : Kathleen allongée sur un sofa en brocart, entourée d'une cour d'admirateurs, sa cape grise couvrant son corps émacié, ses longs cheveux qui venaient d'être coiffés lui entourant le visage (elle ne les avait jamais perdus pendant la chimiothérapie). Elle était ravissante. Personne ne pouvait se douter qu'elle avait un tube dans le ventre relié à un sac caché sous ses vêtements, qui vidait les selles de ses intestins, et un cathéter dans la poitrine qui distillait la chimio à intervalles réguliers. Même moi, je n'avais pas le droit de voir ces marques atroces de son état.

Évidemment, les Anglais ne manquèrent pas de me poser des questions ciblées en s'extasiant sur la beauté de Kathleen. J'expliquai qu'elle avait eu une légère pneumonie, ce qui avait déclenché les ragots sur un cancer éventuel.

Lord Weidenfeld lança à la cantonade que les personnalités devraient écrire leurs Mémoires. Les amis de Kathleen, avec qui elle avait seulement des contacts par téléphone, semblèrent admettre le fait que sa pneumonie l'avait fatiguée et se mirent à échanger les derniers racontars politiques. Kathleen connaissait son monde. Elle avait accompli son devoir de société.

Lorsque je la vis tressaillir légèrement sous sa cape, je sus qu'il était temps qu'elle parte. Il ne fallait pas trahir sa performance.

Nous prîmes congé. Elle poussa un grand soupir et s'endormit dans la voiture. Je me demandai si elle allait mourir pendant que je marcherais en Espagne.

Je restai encore trois jours auprès de Kathleen. Ses médecins n'avaient aucun espoir. Ses deux enfants supportaient stoïquement leur peine. Les deux hommes qui l'aimaient ne comprenaient rien à ce qui se passait. Je parlais aussi à Kathleen elle-même. Nos conversations étaient franchement douloureuses. On lui accordait quelques mois de vie, disait-elle. Elle réfléchit un moment et me demanda si je croyais vraiment qu'elle retrouverait son père. Cela mena à des discussions spirituelles qu'il m'était difficile d'assumer, car elles prenaient une dimension personnelle. Elle essayait de comprendre la mort de Ken à la suite de son emphysème, tandis qu'il continuait à fumer comme un sapeur. « Mais il ne voulait pas mourir, insistait-elle. Il a lutté si dur pour vivre... » J'étais perplexe et n'avais pas le courage de la contredire, car cela aurait soulevé la question de sa mort imminente, son secret désir de retrouver Ken et, au-delà, son père. Elle croyait que le paradis avait été perdu sur cette terre et que ce mystère ne serait pas élucidé.

A la fin du troisième jour, elle me demanda de lui téléphoner d'Espagne quand j'entreprendrais ma randonnée en solitaire. Elle ajouta qu'elle ôterait alors son alliance et me prierait de faire le pèlerinage de Compostelle pour elle. Elle se souvenait des paysages espagnols, des couchers de soleil, de la nourriture, du sens religieux du parcours, et elle m'assura qu'elle attendrait mon retour et le récit de mon aventure.

3

Je quittai Londres avec la pensée de Kathleen dans mon cœur et le besoin de méditer sur le sens de l'amitié et celui de la perte.

Je retrouvai, à Madrid, Anna Strong venue m'aider à préparer mon départ comme elle l'avait promis. Enthousiaste à l'idée du pèlerinage, elle en partagerait le début avec moi avant de se rendre en Irlande pour un séminaire.

Nous comparâmes le poids de nos sacs à dos, discutâmes des objets de première nécessité. Elle me tendit une Bible.

– Tu dois ouvrir le livre au hasard, dit-elle, et lire la page qui se présente. Ton moi supérieur te procurera ce dont tu as besoin.

Nous passâmes la nuit à Madrid, chez des amis d'Anna. Ma dernière nuit dans un vrai lit, une vraie maison, avec de l'eau chaude, des toilettes privées, et un environnement calme pendant la nuit.

Nous sommes parties pour Pampelune le lendemain. Là, nous avons pris un taxi jusqu'à Saint-Jean-Pied-de-Port, à travers les Pyrénées, jusqu'au point de départ du voyage. La route sinueuse que j'allais suivre à pied grimpait au sommet des montagnes. Je fus malade en voiture. Un bon début, songeai-je. Marcher serait un plaisir.

En arrivant à Saint-Jean-Pied-de-Port, Anna dit qu'il nous fallait rendre visite à une certaine Mme de Brill pour obtenir nos *carnets*, des certificats de voyage qui seraient estampillés dans chaque village, preuve que nous avions accompli le pèlerinage.

Saint-Jean-Pied-de-Port est une bourgade ancienne composée de jolies maisons blanches aux toits de tuiles. Tout était clos et plongé dans l'obscurité. Le chauffeur de taxi nous déposa dans la vieille ville, à l'église Notre-Dame. Nous avons traversé la rivière, la Nive, descendu la rue d'Espagne et marché un moment dans la *ville haute*, près de la porte d'Espagne. Il n'y avait personne dans les rues à cette heure de la nuit. Anna ne se souvenait plus bien où habitait Mme de Brill. Ainsi commençai-je une quête de trente jours à la recherche de quelque chose que je n'avais pas encore trouvé. Après avoir frappé à de nombreuses portes, dont la plupart furent gentiment refermées, nous grimpâmes un escalier de pierre avant de nous retrouver dans un vestibule sombre contigu à un *refugio* où dormaient des pèlerins venant de Paris.

Nous rencontrâmes dans le hall quelques pèlerins déprimés, qui venaient de chez Mme de Brill. Apparemment, elle avait la réputation d'être désagréable. Nous étions les prochaines sur sa liste.

Nous frappâmes à sa porte. Elle répondit : « Entrez ! » « Mon Dieu ! » s'écria-t-elle à notre vue. Elle continua à se plaindre en français qu'elle avait la grippe et qu'elle était très fatiguée. Son téléviseur allumé retransmettait une chorale militaire américaine qui chantait : « Mes yeux ont vu la gloire de l'arrivée du Seigneur. » C'était ce dont j'avais besoin, me dis-je. Un petit chien aboyait auprès de son plat vide. Mme de Brill mesurait environ 1,60 m, arborait des cheveux gris échevelés. Elle paraissait être une personne agressive, capable d'éprouver la patience d'un saint.

Elle commença par se moquer des tennis d'Anna en disant d'un ton sarcastique que nous n'irions pas loin sur le Chemin. Elle ajouta qu'elle n'avait jamais fait le pèlerinage et n'en avait pas l'intention. Après quelques insultes voilées, elle nous présenta enfin nos carnets timbrés et nous poussa dehors.

Nous avons trouvé un chalet restaurant cinq étoiles, et nous nous sommes livrées aux délices d'un dîner accompagné d'un vin de pays. Nous commentions la contradiction qui existait entre cette randonnée austère et nos positions sociales. Pourquoi pas, après tout ? La reine Isabelle, le roi Ferdinand et d'autres têtes couronnées avaient affronté cette contradiction. Eux aussi avaient besoin d'acquérir une richesse spirituelle.

Après le dîner, nous avons recherché les flèches jaunes qui, selon Anna nous indiqueraient le chemin. Elles étaient invisibles dans l'obscurité. Je ne pouvais lire les pancartes en français ni en espagnol et me sentis plus dépendante d'Anna que je ne l'aurais souhaité. Serais-je capable de marcher avec les autres en conservant mon autonomie ? Je me suis posé cette question très tôt dans ma vie. Je n'avais pas la réponse.

4

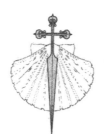

Je commençai la randonnée le lendemain matin, le 4 juin, équipée d'un sac à dos de trois kilos et demi sur le dos. Le soleil illuminait déjà le petit matin. A présent, je pouvais distinguer les flèches jaunes qui nous guidaient hors de la ville. D'autres pèlerins cheminaient devant moi, quelques-uns en couple, d'autres seuls. La procession était libre. Ils se regroupaient pour escalader les Pyrénées. La plupart portaient au dos de leurs sacs la coquille Saint-Jacques – le symbole de Saint-Jacques –, l'emblème du pèlerin du Chemin de Compostelle. Je songeai en marchant à tous ceux qui avaient suivi ce chemin avant moi. Le pèlerinage de Compostelle avait rassemblé des gens de l'Europe entière. C'était – si l'on peut dire – l'héritage du christianisme médiéval qui tentait d'unifier par la foi les nombreuses facettes de la société concernant l'art, la religion, l'économie et la culture. Les gens de condition modeste côtoyaient les saints et les seigneurs, sans distinction sociale ni nationale, afin de découvrir en eux-mêmes le divin, sur le Chemin de Saint-Jacques. Avec Rome et Jérusalem, Compostelle représentait le centre du christianisme et de ce qui s'y rattachait.

Un évêque du Puy, en France, escorté par une suite nombreuse, avait été l'un des premiers à effectuer le pèlerinage en 950 et il l'avait transcrit. Bien que le Chemin fût déjà un lieu de pèlerinage depuis longtemps, on n'en a pas trouvé de traces écrites. Au cours des siècles, un nombre croissant de pèlerins témoignèrent de leur expérience. En ces temps-là, les pèlerins marchaient groupés par crainte des attaques des bandits et des vagabonds. Les templiers protégeaient les pèlerins durant leur voyage. Les églises et les refuges, au long de la route, offraient des lieux de protection et de repos où l'on trouvait aide et conseils. J'étais intéressée par l'influence que les Maures avaient exercée sur le monde chrétien au long du pèlerinage de Compostelle. J'étais frappée par les similitudes avec nos conflits actuels. Pour les Arabes, les chrétiens étaient des infidèles et des suppôts de Satan. Aux yeux des chrétiens, les Arabes étaient des païens, gouvernés par l'épée. Rien n'avait beaucoup changé. Je ne pouvais adhérer à aucun point de vue et j'allais comprendre d'où vient ma confusion.

Quitter Saint-Jean-Pied-de-Port fut pour moi un baptême du feu – l'escalade des Pyrénées. Je n'étais pas habituée au manque d'oxygène et n'avais pas trouvé mon rythme de marche. Anna avançait plus lentement que moi. Je ne voulais pas trop la dépasser, de peur de la perdre de vue et de m'engager sur une mauvaise piste. Je ralentis ma marche. Je me souvenais combien il m'avait été difficile, lorsque j'étais danseuse professionnelle, de suivre un cours de débutants plutôt qu'un brillant cours avancé. Les mouvements étaient plus intenses, plus concentrés, plus pénibles parce que j'avais déjà appris comment éviter l'effort.

Pendant cinq ou six kilomètres, nous avons escaladé la montagne parmi les marronniers, les châtaigniers et les hêtres. Malgré mon souffle court, j'étais heureuse. Les montagnes étaient si belles. Les cloches des vaches tintaient en musique à travers les arbres. Les conversations des pèlerins, en danois, français, espagnol et allemand me parvenaient de loin en écho. Au long du sentier s'alignaient les flèches jaunes, parfois peintes d'une façon rudimentaire sur l'herbe et les rochers. Des marguerites, des boutons-d'or et des fleurs violettes entouraient les arbres, ce qui me rappelait mon enfance, un jour où j'avais remarqué un ravissant massif de fleurs en me rendant à l'école. Je m'arrêtai pour les contempler et je me souvins avoir été absorbée par le bonheur de cet instant. J'avais l'impression que je m'étais fondue dans les fleurs jusqu'à *devenir* l'une d'elles. Je suis *devenue* la conscience des fleurs sans avoir les préoccupations d'une enfant de six ans. Ce moment est demeuré dans ma mémoire comme un exemple de la conscience adulte si l'on y parvenait. Cela correspondait à ce que j'avais appris : nous faisons tous partie de l'univers et vice versa. Qu'est-ce qui nous bloquait dans la référence à cette vérité lorsque nous en avions besoin ? Pourquoi acceptons-nous la souffrance comme un élément normal de notre existence ? Il semble que les religions enseignent que la souffrance est l'état naturel de l'humanité.

Au moment où je réfléchissais sur cette question, une ampoule se formait sur mon pied droit. Je m'arrêtai. Déjà ? Ça m'arrivait déjà ? Pourtant j'avais enduit mes pieds de vaseline, et je croyais que mes chaussures avaient la taille adéquate. Je m'assis par terre, enlevai mon sac à dos, ma chaussure et ma chaussette. Je me souvins que j'avais eu le même genre d'ampoules pendant mon cours de ballet. J'appliquai promptement du ruban adhésif sur ma peau afin que le cuir ne frotte plus directement, et je priai.

Un léger frisson glissa le long de ma colonne vertébrale, puis il me sembla qu'une présence m'entourait.

Je reconnus la « vibration » de cette présence. Je connaissais même son nom. C'était un ange. Il se nommait Ariel. Je sentis qu'un ange nommé Ariel me visitait et qu'il me parlait. Je ne savais pas si l'ange était masculin ou féminin ou les *deux*, comme un esprit asexué. « N'aie pas peur de ton corps, dit-il. Apprends le plaisir au fur et à mesure que tu l'éprouves. C'est le but de ton voyage. Transforme-le en expérience et oublie ton désir d'accomplir un but. Le but est la voie. »

Alors la vibration se dissipa comme si l'ange était parti. J'enfilai mon sac à dos et me remis en marche. L'ampoule s'était formée sur mon pied droit, contrôlé par le côté gauche du cerveau qui produit la pensée linéaire, logique. Il commande aussi l'orientation vers un but. Je savais que c'était là mon problème. Est-ce qu'Ariel s'exprimait en tant qu'entité autonome ou était-ce moi qui me parlais ? Je m'aperçus qu'il n'y avait pas de différence. Nous sommes chacun le monde et le monde est chacun d'entre nous... Ce point de vue est peut-être mystique et ésotérique, mais je ne me posai pas davantage de questions au sujet de cette voix intérieure. Je l'écouterais tant qu'elle me donnerait de bons conseils – et si je n'étais pas d'accord, je ne l'entendrais sans doute pas.

Ainsi, je continuai ma marche à travers les Pyrénées, insensible à mon ampoule, imaginant cette vieille route romaine foulée autrefois par les Arabes, Charlemagne et son armée, saint François d'Assise, Napoléon et des millions de pèlerins. Je souhaitai retourner vers ce temps-là tandis que je m'appliquai à la tâche ardue, mais sublime, de prendre plaisir à chaque pas.

Je franchis avec Anna la frontière franco-espagnole. Sur le versant espagnol, nous traversâmes une forêt dense de hêtres qui s'étendait sur la face nord du mont Txangoa. Au col d'Izandorre, peu après les ruines d'Elizarra, je me rendis compte que je ne pourrais jamais me souvenir des noms de tous les lieux que j'allais traverser. Je m'arrêtai à une fontaine – les fontaines m'attendraient à chaque village. L'eau pure et propre de ces fontaines de l'Espagne du Nord rendait possible le voyage du Chemin de Compostelle.

Nous franchîmes la passe d'Ibaneta à travers d'autres forêts de hêtres, sur le chemin de Roncevaux. La nuit commença à tomber. J'avais parcouru à pied environ vingt kilomètres.

A Roncevaux, deux grandes traditions se rencontrent : celle des pèlerins et celle de la légende de Charlemagne. C'était l'un des lieux les plus réconfortants pour les pèlerins, nourri à travers les siècles des dons de personnages fortunés et importants de toute l'Europe.

Roncevaux avait un statut mythique parmi les historiens : la scène de nombreux combats entre les armées de Charlemagne et celles des Basques et des Aragonais. Ici, en 778, au cours d'une terrible bataille, les soldats basques et aragonais massacrèrent l'arrière-garde de l'armée de Charlemagne qui battait en retraite. Ici, Roland, le plus illustre des douze paladins de Charlemagne, mourut au cours d'un combat héroïque. J'avais appris ces éléments d'histoire en préparant mon voyage. Mais j'aurais davantage à découvrir, comme j'allais m'en apercevoir.

Anna et moi pénétrâmes enfin dans le refuge de Roncevaux, épuisées et courbaturées au point d'en rire.

Le baraquement obscur était rempli de pèlerins. Les gens endormis ronflaient et toussaient. Alors, c'était donc ce qui m'attendait ? Nous trouvâmes chacune une couchette supérieure inoccupée où nous avons déposé nos sacs. Comme nous mourions de faim, nous nous dirigeâmes vers une arrière-salle attenant à la baraque principale. Dans une pièce enfumée, l'on nous servit une soupe aux champignons huileuse. J'avais envie de vomir mais il n'y avait rien d'autre. Oui, c'était ça qui m'attendait.

Nous retournâmes au dortoir, sans pouvoir trouver la douche à cause de l'obscurité. Sale, couverte de poussière et de sueur froide, je grimpai dans ma couchette et m'y écroulai. Après avoir enfoncé mes boules Quiès, à ma grande surprise, je m'endormis instantanément.

Cette nuit-là, j'ai rêvé de tous les hommes que j'avais connus. C'était comme si je me lavais dans mes rêves de ce qui s'était passé pendant ces relations. J'en avais fini avec eux et j'étais prête à aborder ma sexualité sous un angle différent. Les rêves n'étaient pas vraiment explicites. Il s'agissait de collages hétéroclites de ce que chacun avait apporté à ces liaisons. Je sentais que pour chacune, aucun de nous ne s'était impliqué totalement. Nous attendions de l'autre qu'il comble un vide plutôt que de célébrer l'accomplissement de ce que nous portions en nous – tentative vaine pour retrouver la moitié perdue de la personne que nous étions réellement.

Je fus étonnée de ce que j'avais rêvé. Cela ne paraissait avoir aucun rapport avec ce que j'avais fait pendant la journée.

Je me réveillai au bruit d'une querelle entre un couple allemand. Les autres dormeurs, perturbés par le vacarme, s'éveillaient peu à peu. Comment les gens peuvent-ils être aussi insoucieux des autres? Je les regardai un moment avec mes boules Quiès dans les oreilles. C'était comme d'observer une scène silencieuse sous l'eau. Lentement, les pèlerins se levèrent en s'étirant, s'habillèrent et sortirent tandis que le couple allemand continuait à se chamailler. Ils étaient pesants et lents, inconscients de la gêne qu'ils avaient causée.

Anna et moi prîmes des douches froides (il n'y avait pas d'eau chaude). Nous nous interrogeâmes au sujet du comportement de certaines personnes. J'avais lu quelque part que « le pèlerin devait avoir une conduite prévenante, modeste, généreuse, amicale, reconnaissante, jamais exigeante et, par-dessus tout, éviter de faire scandale ».

Nous avons conclu qu'il fallait considérer le couple allemand comme nos maîtres, comme une invitation à éliminer tout jugement de valeur. Fichtre, me dis-je, j'avais beaucoup à apprendre.

Après avoir acheté des yaourts et des noix dans une échoppe, Anna et moi nous dirigeâmes vers le monastère de Real Colegiata, chef-d'œuvre du treizième siècle, où nous avons assisté à une messe de bénédiction des pèlerins. La messe était dite en espagnol et je n'en comprenais pas les paroles mais j'étais très émue. On nous expliqua que l'énergie de Charlemagne résidait en ce lieu parce qu'il avait fait ériger un tombeau à la mémoire de ses soldats décimés à la bataille de Roncevaux. Je priai et fis le vœu d'aller jusqu'au bout du Chemin de Compostelle en dépit des obstacles. Une vieille habitude : dès le départ, j'étais orientée vers mon but. Je songeai au banc sur la montagne de Calabasas, mais cela ne me fut pas d'un grand secours.

Comme je m'émerveillais devant le défilé de l'Histoire qui m'entourait, je sentis un regard se poser sur mon dos. Je me retournai et j'aperçus le visage d'un jeune homme étonnamment beau. Il devait avoir dans les trente-cinq ans, une masse de cheveux sombres, les yeux noirs comme des olives, un visage qui méritait d'être imprimé sur un timbre-poste. Il ne détourna pas son regard.

Je lui tournai le dos.

Après avoir terminé nos prières, Anna et moi nous dirigeâmes vers un restaurant sur la colline. Tandis que nous étions en train de déjeuner, le jeune homme de l'église s'approcha. Son corps semblait vibrer quand il s'assit auprès de moi. Il se mit à parler timidement, avec hésitation.

– Je vois dans vos yeux.... quelque chose de familier.

Oh merde! me dis-je. Je m'en doute! Il ajouta qu'il était un volontaire bénévole qui aidait les pèlerins.

– Puis-je vous rendre service?

Je répondis non. Je n'avais besoin d'aucun service. Il cligna des yeux, parut comprendre ce que je voulais dire et partit.

Anna me fit un clin d'œil, sans commentaire.

Nous allâmes faire estampiller nos carnets et nous promener tranquillement dans Roncevaux. Ensuite, nous retournâmes au restaurant pour dîner. Le jeune homme s'approcha. Il s'excusa de paraître insistant et me demanda si j'avais un templier pour me protéger sur le Chemin. Je dis non, et que je n'en voyais pas la nécessité. Il paraissait évoquer un autre lieu, une autre époque. Ensuite, il revint dans l'actualité en me disant qu'il était content d'être le seul à m'avoir reconnue. J'avais été son actrice favorite depuis qu'il était petit. Je ricanai car j'entendais ces mots plus souvent que je ne l'aurais voulu, ces derniers temps. Il s'avoua très intimidé en raison de son attirance envers moi.

Je commençai à faiblir. Quel était le sens de ce rêve de la veille? Une purification du passé?

Anna s'éclipsa discrètement. Nous avons poursuivi notre conversation. Il s'appelait Javier. Il me posa une question sur ma vie sentimentale du moment. Je lui répondis qu'elle était inexistante. Bientôt, je me surpris à lui avouer que je n'étais pas attirée par les hommes de mon âge parce qu'ils ne pouvaient pas me suivre. Les yeux du jeune homme brillèrent. Son anglais s'améliora et nous achevâmes un merveilleux dîner. Ensuite, il parut préoccupé et presque parano sur ce que les gens du restaurant pourraient penser. C'était étrange.

Je lui dis qu'il était temps pour moi d'aller me coucher. Puis, je lui demandai s'il voulait que je lui écrive lorsque j'aurais achevé le pèlerinage. Il me répondit non. Cela perturberait sa famille. Il ajouta qu'il aurait bien voulu marcher avec moi sur le Chemin mais qu'il avait promis quelques jours auparavant d'accompagner un groupe. Je lui dis :

– Pas de problème.

Nous nous levâmes et quittâmes le restaurant.

Ensuite, il s'exprima d'une manière bizarre. Peut-être à cause de son anglais.

– Voulez-vous que nous trouvions un endroit où nous soulager?

Je ne comprenais pas ce qu'il voulait dire. Un archaïsme ou une expression vulgaire? Nous étions arrivés devant un petit hôtel. Un homme en sortit.

– Désirez-vous une chambre? demanda-t-il.

Peut-être s'agissait-il d'un coup monté.

– Non merci, dis-je. J'ai besoin de me reposer.

Le jeune homme me regarda, une expression déçue dans ses yeux noirs. Une pluie fine se mit à tomber, accompagnée d'une brise qui murmurait quelque chose.

– Vous êtes mon ange gardien, dit-il avant de disparaître dans la brume.

J'étais seule et j'avais l'impression d'avoir rencontré un autre rêve.

Je songeai au Latino sur la piste de Calabasas. Avais-je rendu réels ces deux rêves afin de comprendre quelque chose qu'il me fallait encore apprendre?

Je retournai au refuge. Anna, prête à se coucher, me regarda et dit seulement :

– Non ?

– Non, répondis-je en grimpant dans ma couchette. Je me demandai ce qui s'était vraiment passé. Je tournai et me retournai dans mon lit étroit sans arriver à trouver le sommeil. Je mettais en question le rôle de la sexualité dans ma vie. Une femme de mon âge songeant à une aventure plaisante et sans lendemain me paraissait une idée incongrue. Mais pourquoi ? Anna m'avait prévenue que le Chemin m'offrirait de nombreuses expériences que j'étais libre ou non d'accepter. Étais-je si puritaine et préoccupée par mon apparence et mon âge que je m'interdisais toute spontanéité ? Je n'avais jamais été ainsi. Quel sens donner à l'âge, de toute façon ? J'avais encore un corps bien fait et le sexe m'intéressait autant que tout un chacun. Vraiment ?

Quelque chose avait changé en moi depuis que la spiritualité était devenue une part physique de ma vie. A présent, je pouvais *sentir* l'énergie. C'était plus que des hormones stimulées. Je désirais ardemment me *fondre* dans quelqu'un, pas seulement coucher avec lui. Mais peu à peu, le désir s'était dissipé.

En réfléchissant sur mon vécu sexuel, j'avais conscience qu'il n'avait pas seulement été gouverné par des poussées hormonales mais que chaque désir avait été fondé sur une reconnaissance de l'âme. Les hormones avaient servi de catalyseurs pour découvrir ce que nous avions en commun, mon partenaire et moi. La mythologie faisait allusion aux âmes qui se retrouvaient pour différentes raisons. Il y a quelques années, j'ai découvert qu'il ne s'agissait pas d'un mythe. Je peux dire honnêtement que lorsque je reconnaissais quelque chose de profond dans les yeux de l'âme d'une personne, cela me suffisait. Cela n'avait rien à voir avec son centre d'intérêt, son apparence ou si elle avait quelque chose de commun avec moi ce jour-là. Si je retrouvais quelque chose d'« autrefois », c'était une motivation suffisante. Cela pouvait être la façon dont elle clignait les yeux, une expression de surprise inopinée, ou tout ce qui n'était pas empreint de conscience de soi ou d'autocensure pour produire une bonne impression. Je m'intéresse à ce qui loge sous la conscience – le subconscient. C'est le domaine d'investigation qui me maintient en éveil. J'aurais pu me sentir plus à l'aise avec une personne simple, genre « livre ouvert », mais cette relation n'aurait pas duré longtemps car il n'y aurait pas eu de mystère à explorer, pas de contact spirituel.

Je dirais que j'étais attirée en général par des hommes « difficiles à connaître ». Des hommes qui élaboraient des plans sophistiqués pour masquer leur véritable personnalité. Nous nous examinions jusqu'à ce que l'homme sente une atteinte à son intimité, tandis que moi, je répétais inlassablement et sans pitié : « Et alors ? » J'avais autant envie que l'autre comprenne mon moi secret que de comprendre le sien. Mais souvent, les hommes abandonnaient lorsqu'ils avaient l'impression qu'ils n'avaient presque plus rien à cacher. Pour moi, c'est le défaut principal de l'espèce humaine. Trop d'hommes dissimulaient leur journal intime. Alors, la frustration montait jusqu'à exploser et ils devenaient les guerriers de l'autoprotection. A ce point-là, cela m'ennuyait (je n'aime pas la bagarre) et j'évitais tout contact. Les hommes que j'ai connus se vantaient d'avoir beaucoup appris sur eux-mêmes (ils se sentaient « étirés ») et ils étaient soulagés de me voir disparaître. Mais pour moi, c'était eux qui étaient partis. Enfermés quelque part dans leur prison intérieure, souvent accompagnés d'une femme qui encourageait leurs peurs et ne stimulait pas leur développement. De là provient cette complainte des femmes que « les hommes n'expriment pas leurs sentiments ». Je me demandais si ce n'était pas plus compliqué.

Maintenant, depuis que j'ai eu soixante ans, les jeux qui ont accompagné tant de relations ne m'intéressent plus. Je ne serais intéressée que par un partenaire qui recherche comme moi la vérité. Qu'y a-t-il à protéger en dehors de la vérité ? Non seulement la vérité survenue pendant l'enfance et jusqu'à nos jours, mais peut-être celle qui a eu lieu *avant* notre vie présente.

Quand je m'endormis enfin, je rêvai que je chevauchais un cheval au coucher du soleil. Je me voyais dans le rêve. Je ressemblais à un personnage d'une autre époque, mais le chemin me semblait familier. J'étais vêtue comme une gitane, de couleurs vives. Je portais des bracelets et des boucles d'oreilles d'or. J'avais de longs cheveux noirs bouclés, un teint couleur café-au-lait. Je galopais sur mon cheval avec un sentiment de liberté en fuyant quelque chose. Soudain, je tirai sur les rênes de mon cheval et m'arrêtai sous les arbres. J'aperçus Javier, le jeune homme brun du restaurant. Il paraissait différent mais je savais que c'était lui. Il était avec une jeune fille blonde qui refusait sa compagnie. Son attitude frustrait le jeune homme. Il me regarda sur mon cheval, s'approcha et dit :

– Je ne peux pas faire cela. Je ne peux jamais. Qu'est-ce qui ne va pas ?

Il ne parlait pas en anglais mais je le comprenais. Ses yeux me brûlaient le cerveau. Il tremblait et cherchait désespérément de l'aide. Je regardai derrière moi pour voir qui me poursuivait. Je me penchai et le soulevai sur la croupe de mon cheval, avec l'intention de le sauver de cet endroit. Il se mit à pleurer. Je dévisageai la jeune blonde. Elle était soulagée. Elle serait sauvée par ceux qui me poursuivaient. Le jeune homme en croupe derrière moi, j'enfonçai mes talons dans les flancs de mon cheval et partis au galop. La dernière image de mon rêve fut une vision objective de moi-même, cheveux au vent, galopant vers l'ouest, le jeune homme agrippé à ma taille. Loin derrière, j'aperçus une bande de soldats en armure. Le chef portait très haut une croix tout en galopant à ma suite.

5

Le lendemain matin, Anna et moi partîmes pour Zubiri sous une pluie battante. Nous pataugions dans la boue sous des ponchos imperméables qui nous faisaient ressembler à des sorcières bossues. Mon poncho était jaune. Celui d'Anna, rouge. Un chien colley dont les longs poils ruisselaient de gouttelettes de pluie nous regarda comme s'il n'avait jamais vu d'apparitions de cette sorte.

J'aimais me sentir protégée par une carapace sur mon dos. J'étais un pèlerin qui voyageait lentement mais sûrement comme une tortue. Nous traversâmes des champs peuplés de vaches silencieuses, de troupeaux de moutons, de cochons et de chevaux. Tous se tenaient immobiles à notre passage, comme dans une transe détrempée, dans un paradis de sécurité, sachant que les prédateurs naturels étaient eux aussi immobilisés par cette extase pluvieuse, un don du ciel. C'était une trêve de la nature. Les animaux paraissaient comprendre ce moment d'une harmonie invisible et respectaient les différences de chaque espèce.

L'exercice de la marche étirait ma colonne vertébrale tandis que le sac à dos massait doucement mes reins. Je ne sentais plus mon ampoule, comme si elle avait disparu. Je remarquai un bâton sur le chemin et le ramassai. Il me rappelait la canne que ma mère utilisait durant sa vieillesse. Je me baissai pour attacher mon lacet de chaussure et repris mon chemin sans la canne. Elle n'était sans doute pas destinée à m'accompagner. Quelques kilomètres plus loin, j'aperçus un autre bâton. Son extrémité était recourbée vers l'intérieur comme un croissant de lune. Je le ramassai. Il était confortable dans la main lorsqu'on s'appuyait dessus, même s'il avait l'air d'un bout de bâton rejeté par une vieille bique. Je lui demandai s'il voulait marcher avec moi... Oui. J'épluchai les bouts d'écorce qui se détachaient et nous sommes devenus amis. Je désirais marcher avec ce bâton et ne voulais pas le perdre. Je décidai de le rapporter chez moi si nous parvenions au bout du pèlerinage ensemble.

Les courbatures de mes jambes s'atténuèrent tandis que je m'appuyais sur mon nouvel ami. J'avais aussi un guide qui pesait un bon kilo dans mon sac à dos.

La souffrance est-elle nécessaire pour atteindre l'éveil ? Non, songeai-je. C'est une vision ringarde de la vie. L'insistance des religions concernant la souffrance ne faisait pas partie du New Age... ni la souffrance des chrétiens, ni celle des musulmans, ni des hindous. Cela m'évoque les plaisanteries que j'avais entendues au sujet de l'ascète hindou qui arrive enfin aux portes du paradis. On lui donne un texte ancien à étudier avant de le laisser entrer. Il comprend tout jusqu'à ce qu'il arrive à un passage qui le fait fondre en larmes. Dieu lui demande pourquoi il pleure. Le vieil homme lève les yeux et dit :

– Mais ici il est dit « célébrer » et non « célibat » !

Je continuerais ma célébration de ce qui était possible, sachant que ma foi créerait ma réalité, malgré l'histoire de l'humanité qui s'était déroulée à travers les siècles. Oui, j'étais simpliste et innocente, remplie d'émerveillement. Je ne voulais pas céder au cynisme et ne tenais pas non plus à perdre mon optimisme. Néanmoins, j'avais besoin de savoir ce qui m'a fait ce que je suis. Qu'est-ce qui me donnait la certitude que la connaissance issue du fond de mon âme était plus vraie que le savoir de mon esprit?

Je regardais autour de moi en marchant. Les collines mystiques possédaient des trésors d'expérience à notre portée si nous étions prêts à les recevoir.

Je glissais dans la boue tout en m'appuyant sur mon nouvel ami qui m'aidait à garder l'équilibre. Mais cela me donnait une crampe à l'épaule droite. Je changeai de main, m'appuyant à gauche sur le bâton. Je n'avais pas autant de maîtrise mais il me serait bénéfique d'apprendre à utiliser la main gauche autant que la droite, car elle est connectée au côté féminin du cerveau. Pour être centré, il fallait un équilibre.

La forêt était parsemée de soucis jaunes, brillants. Leur vue me rappela que je n'avais pas rencontré de flèches jaunes depuis des heures. J'avais été totalement plongée dans mes pensées. M'étais-je égarée? Je cherchai Anna, mais elle n'était pas là. La vue derrière moi était obscurcie par un rideau de pluie. Oh! mon Dieu! Je suis perdue, m'écriai-je. C'était vrai. Je me trouvai soudain au bord d'un gouffre boueux. Je me souvins d'avoir entendu que de nombreux pèlerins se blessaient au long du Chemin et étaient obligés de rester pendant des semaines dans les refuges pour se rétablir. Quelques-uns mouraient.

Je m'immobilisai. J'étais entourée par une mer de boue. Okay. Là était la polarité, pensai-je. Un moment, je marchai au septième ciel et le moment suivant, j'étais paniquée, perdue, sans mon amie Anna et en grand danger de tomber. J'avançai d'un pas. La boue était aussi glissante que de la glace. C'est alors que j'ai pris conscience que quelque chose me protégeait. Je ne savais pas ce que c'était. Mon bâton semblait se rétracter chaque fois que j'essayais de l'enfoncer dans la boue épaisse. J'avais l'impression que la terre même avait une intelligence qui me mettait en garde contre le glissement. Est-ce que la Terre Mère essayait de me secourir? Je me souvins d'une promenade dans les montagnes de Californie. Je ne m'étais pas rendu compte que le soleil se couchait si vite. Subitement, je me retrouvai en train de descendre la montagne dans l'obscurité. Mais il ne faisait pas nuit. La terre elle-même émettait une lueur suffisante pour éclairer mon chemin. Cela m'avait sidérée. Lorsque j'en parlai à une amie indienne, elle me dit : « Oh, tu ne connaissais pas ça? » Je me sentis stupide d'avoir si peu conscience des miracles de la nature. A présent, la Terre Mère me maternait encore une fois. Pourquoi étions-nous en train de la détruire sans tenir compte d'à quel point nous en faisons partie?

D'une manière subtile, je sentis de nouveau la présence de mon ange. Ariel est avec moi, songeai-je.

– Eprouve la sensation d'être seule, disait la voix dans ma tête, d'être dépourvue de sécurité, d'être seulement en face de toi-même.

Ensuite, il disparut.

Respirant profondément, je retournai sur mes pas, convaincue que j'avais dépassé la flèche jaune.

Je dois être vigilante, me dis-je, en regardant à chaque mètre derrière moi pour repérer la flèche. Je dois découvrir la voie du milieu, équilibrée et consciente, en me laissant guider par d'autres dimensions.

Je fis demi-tour dans la boue et la pluie. A travers la forêt de hêtres, montant et descendant les collines, je dépendais entièrement de mon bâton et des messages qu'il recevait de la terre. Le vent se leva, m'éclaboussant de pluie. Je songeai au confort du refuge, aux ronflements des dormeurs, aux fenêtres qui battaient. J'entendis des voitures sur la route non loin et me rappelait que j'avais déjà entendu ce bruit de moteur.

Je dévalai le flanc de la montagne parmi les pierres qui roulaient autour de moi. Des fragments de rocs tombaient dans le lit de la rivière en dessous, me manquant par miracle. Charlemagne et saint François d'Assise avaient suivi cette route en compagnie de hordes de soldats et de pèlerins. A quoi pensaient-ils alors? Pourquoi ont-ils accompli un tel trajet? Pourquoi le faisais-je moi aussi? Je regardai plus haut et vis Anna debout, dégoulinant de pluie dans son poncho rouge. Elle agita les bras.

– Par ici, cria-t-elle. Voici la flèche jaune!

Je m'avançai péniblement vers elle, pataugeant dans la boue jusqu'aux mollets.

– Un petit malin a pointé la flèche dans la mauvaise direction, dit-elle. Le Chemin t'oblige à distinguer entre la vérité et les ruses des humains. Ainsi va la vie, hein? Elle rit. Je suis entrée par erreur dans la grange d'un paysan. Un chien m'a attaquée. J'étais furieuse et je l'ai injurié. Il est parti.

Que ferais-je si un chien m'attaquait? J'avais eu des chiens dans ma vie et je croyais les comprendre. Mais si ce n'était pas toujours le cas?

Anna me confia que si elle était attaquée par un chien féroce, elle s'immobiliserait et se mettrait à prier. Je me demandai si dans ce cas, j'aurais la présence d'esprit et une maîtrise de moi suffisantes. J'avais lu des récits sur les chiens du Chemin de Compostelle. Un livre racontait en particulier comment l'auteur avait été attaqué par une meute de chiens menés par un molosse particulièrement vicieux. L'homme indiquait que sa vie avait été en jeu. Cela s'était passé dans un village abandonné, à Foncebadon, à deux jours de marche de l'endroit où nous nous trouvions maintenant. Les chiens de Foncebadon représentaient pour moi la seule vraie menace du Chemin de Compostelle. J'étais terrifiée.

Après une sieste d'une demi-heure, Anna et moi avons repris la route. Qu'aurais-je fait sans sa compagnie, elle qui avait accompli cette marche, qui parlait espagnol et qui avait raisonnablement confiance en elle ? Nous avons suivi la bonne flèche jaune et grimpé la colline à travers les pins, les hêtres et les chênes. Avant de traverser à nouveau la route, je discernai un chemin pavé nommé le Pas de Roland, d'après le chevalier de légende qui avait séjourné en ce lieu. Le chemin pavé conduisait à l'Auberge de la Passe, à présent une étable. Le temps ne respecte pas l'Histoire. C'est à nous, humains, de découvrir le passé.

Nous avons franchi un pont qui menait à Zubiri et une fontaine attenante à une église ancienne. Nous avons rempli nos gourdes de l'eau claire de la fontaine. Délicieuse. Je m'assis sur la margelle en mettant mes pieds en l'air, concluant que ce dont j'avais besoin dans la vie étaient de bonnes chaussures, un bâton fidèle, et de l'eau pure.

Quelques heures plus tard, nous sommes arrivées dans un village où nous avons pénétré dans un bar rempli d'hommes et de fumée. Les hommes hurlaient devant une petite télé qui montrait une course de bicyclettes. Quand nous entrâmes, ils se retournèrent et applaudirent.

Nous avions encore au moins huit kilomètres de marche avant d'atteindre le refuge de Zubiri. Pourrions-nous y parvenir avant la nuit ? Je me souvins de la lueur qui émanait de la terre dans les montagnes de Californie. Sur notre route, je m'arrêtai pour observer de gros tas de bouses de vache où des scarabées s'étaient agglutinés pour se nourrir. Ils se groupaient au même endroit bien qu'il y ait eu d'autres bouses autour. Pourquoi ne s'étalaient-ils pas ? Ils ressemblaient aux hommes dans ce bar, aux gens qui s'agglutinaient autour de leurs piscines en Floride au lieu de profiter des plages spacieuses.

Nous avons escaladé encore deux montagnes. La pluie avait cessé.

A Zubiri, il n'y avait pas de refuge. Depuis le dernier pèlerinage d'Anna, il avait été démantelé. La vieille école occupée à présent par les pèlerins était pleine à craquer. Il n'y avait pas de place à l'auberge.

Il faisait nuit. Pour atteindre le prochain village, il nous fallait marcher encore sept kilomètres. Les phares des voitures éclairaient notre route en nous dépassant. Souvent, les conducteurs klaxonnaient et nous encourageaient en criant par la fenêtre :

– *Ultreya !*

– Qu'est-ce que ça veut dire ? demandai-je à Anna.

– Avancer avec courage.

6

Nous sommes arrivées enfin à Larrasoana à dix heures du soir. Nous avions marché depuis l'aube sous la pluie et dans la boue, et nous avions parcouru vingt-cinq kilomètres.

Tout le monde dormait dans le baraquement. Une rumeur de respirations oppressées et de ronflements s'élevait de l'obscurité. Je trouvai la douche d'eau froide, me déshabillai et remarquai une éraflure à l'intérieur de ma cuisse gauche. J'y appliquai la pommade antiseptique d'Anna. La douche n'avait pas de pommeau, juste un trou d'où sortait l'eau. Je me lavai les cheveux et les séchai tant bien que mal avec ma petite serviette déjà mouillée depuis que je m'étais essuyée après la douche. Je m'entendis gémir puis je me mis à rire. Cela fit rire Anna. Tout était si péniblement absurde!

Affamées, nous nous dirigeâmes vers le « réfectoire » à l'arrière du refuge. Des hommes attablés riaient et fumaient. Quelqu'un nous servit une soupe épaisse et grasse où flottaient quelques morceaux de poulet. Nous avons ri de plus belle. C'est pourquoi nous étions constipées. Je n'avais avalé que des pruneaux toute la journée mais cela n'avait pas suffi.

Nous sommes parties d'un nouveau fou rire. Ensuite, au dortoir, nous avons déplié nos sacs de couchage en les installant sur deux couchettes inférieures. Je mis mes boucles Quiès et m'endormis immédiatement.

Le lendemain matin à six heures, je lavai une paire de chaussettes et une petite culotte sous l'eau froide de la douche et les accrochai sur mon sac à dos pour qu'elles sèchent pendant la marche. J'utilisai la brosse à ongles pour nettoyer mes bottes. J'étais prise dans une telle obsession du temps que je ne voulais pas perdre une minute : il me fallait marcher et parvenir au but.

Sur la route de Pampelune, je me mis à avancer plus vite qu'Anna. C'était mon rythme naturel. D'autres pèlerins marchaient plus vite que moi.

Nous traversâmes des villages aux églises médiévales qui avaient représenté le centre de la vie des gens pendant des siècles. Elles étaient décorées selon un style baroque et imposant. Elles résonnaient des secrets du passé que je percevais durant la marche.

On dit que sur cette terre, Charlemagne et vingt mille chrétiens avaient combattu cinquante mille Sarrasins ou Maures. Les Sarrasins s'étaient cachés pendant des jours avant de tendre une embuscade aux chrétiens. Vingt mille personnes périrent durant les quelques heures de la bataille pour prouver qui était le vrai Dieu.

Charlemagne désirait unifier l'Europe sous la bannière de la chrétienté, tandis que les Maures mouraient par l'épée pour Allah.

Rien n'avait beaucoup changé. Le Chemin de Compostelle avait jalonné le pèlerinage militaire de Charlemagne. Je me demandai ce que Jésus aurait pensé du noble empereur chrétien. Ce Chemin arpenté par les premiers saints s'était transformé en

sentier de la guerre. Néanmoins, on le nommait la
« voie » parce que ceux ou celles qui le suivaient trouvaient un rapport nouveau avec le corps, la patience,
la nourriture, l'eau, les pieds et l'orientation vers Dieu.
L'acte d'*ultreya* devrait peut-être s'inverser. Nous
devrions peut-être marcher *à reculons* avec courage
afin de comprendre d'où nous venons et qui nous
sommes.

J'avais vécu des rêves et des impressions qui évoquaient des lieux et des époques différents. Je n'étais
pas sûre de leurs significations. J'ai toujours éprouvé
une nostalgie au sujet d'expériences antérieures qui
ont plus de sens que nous le pensons. Je n'aime pas
employer le terme *réincarnation*, trop chargé de
connotations religieuses et de préjugés. Je ne suis
même pas certaine qu'une expérience a eu lieu dans le
« passé ». J'étais de plus en plus consciente de l'affir-
mation constante d'Einstein que le temps linéaire
n'existe pas. Nous l'avons inventé. J'étais capable de
ressentir des événements survenus dans le « passé »,
aussi vivants pour moi que s'il existait un temps parallèle pendant lequel tout se déroulait simultanément.
Pourquoi ne serions-nous pas les porteurs de la totalité de l'expérience, dont nous choisirions les fragments ?

Je me souviens d'être debout, à l'âge de sept ans, sur
un bout de terre à Jamestown, Virginie, en ayant la
certitude que je me tenais à la même place des centaines d'années auparavant. Le vent avait balayé mon
visage comme s'il me rendait visite avec ce souvenir.
Mais ce n'était pas un souvenir. Cela m'était arrivé
quand j'avais sept ans comme une « revisitation ».

De telles « revisitations » m'étaient survenues dans
le monde entier. Je me suis toujours demandé si mon
amour des voyages ne correspondait pas au désir de
retourner dans un autre lieu, à une autre époque. En
Inde, j'avais su reconnaître les emplacements de cer-

tains temples et ruelles. En Russie, les larmes me montèrent aux yeux tandis que je tentais de déchiffrer l'alphabet cyrillique que j'avais su lire autrefois mais que je ne comprenais plus maintenant. Au Japon, j'ai eu la sensation d'avoir été une geisha. Et ainsi de suite...

Je me rappelle avoir obtenu une image de ce phénomène simple et compréhensible. Si je me tenais devant un miroir en regardant mon corps en entier, qui contenait toute mon expérience, je possédais la globalité de mon expérience à ce moment précis. Si je me concentrais, disons, sur l'un de mes doigts, celui-ci serait le support de ma concentration. Ce doigt serait une expérience, ce qui n'empêcherait pas que le reste de mes expériences existât simultanément dans la totalité de mon corps. Cela signifiait que mes expériences avaient lieu simultanément bien que je ne me concentre que sur une seule.

Ce n'était pas un problème de perception. Je n'étais pas enfermée dans une réalité linéaire : ma réalité englobait tout à la fois. Selon mon humeur ou ma soif d'aventures, je pouvais me plonger dans des réalités simultanées chaque fois que j'étais en phase avec elles. Parfois, je sentais que je n'arrivais pas à maîtriser la concentration. Les rêves échappaient à mon contrôle. Cependant, lorsque j'analysais l'état onirique, je me rendais compte qu'à un certain niveau, je devais contrôler ce que je rêvais. En d'autres termes, mon subconscient était manipulé par ma conscience afin de me donner plus d'indices sur ma personnalité vraie. Ma conscience la plus élevée était connectée avec Dieu (la source, la création), et me rappelait que je représentais aussi une totalité d'expériences reliées à Dieu.

A présent, j'avançais sur le Chemin, en Espagne où tant de massacres avaient été perpétrés au nom de la relation de l'humanité à Dieu.

Pourquoi en ce lieu?

J'avais toujours aimé les films d'époque. Ils m'apportaient quelque chose de familier que j'avais plaisir à regarder : les costumes, les mœurs, le style de vie. Tout ce qui avait trait au passé était pour moi un divertissement émotionnel. Mais je me sentais incapable d'incarner un personnage d'autrefois parce que j'avais une allure trop moderne. C'était comme si je savais que je ne pouvais plus y retourner, même en jouant, parce que je ne voulais pas dénigrer ce passé à travers un mélo hollywoodien.

J'étais fascinée de la même façon par le futur, et par la présence d'autres mondes habités par des êtres qui m'étaient également familiers. Ainsi, le passé et le futur faisaient maintenant partie de moi. Il n'y avait rien de dingue ni de ridicule à connaître les tracés du temps tels que je les comprenais. Ils *existaient* comme la nature ou le ciel. En d'autres termes, j'avais l'impression que le temps existait en moi plutôt que moi en lui.

Tandis que je parcourais le Chemin, je me demandais pourquoi j'en étais arrivée là. Est-ce que je remontais le temps qui avait déjà existé en moi?

L'image de moi-même, sous la forme de la fille café-au-lait à la chevelure noire, me revint à l'esprit. A chaque pas, elle devenait plus transparente. Elle chevauchait sur cette route. Elle était libre, mais fuyait toujours quelque chose. Elle ne voulait être remarquée que lorsqu'*elle* l'aurait décidé. J'éprouvais aujourd'hui ces mêmes sensations. J'avais adoré être une star de cinéma quand la promotion d'un film l'exigeait, mais je m'étais créé de nombreux chemins d'évasion pour tromper la presse, les paparazzi ou tous ceux qui cherchaient à envahir ma vie privée. Je paraissais conduire ma vie comme un livre ouvert à travers mes interviews et mes écrits, mais il y avait tant de choses que j'avais habilement dissimulées!

Pendant mes voyages, j'essayais d'éviter les situations dangereuses – fuir un coup d'Etat au Bhoutan, éviter les autorités communistes en Union soviétique, vivre avec les Massaïs en Afrique de l'Est, me protéger dans les Andes du Pérou, etc. Ma vie avait été un perpétuel exercice d'apprentissage.

Tout en marchant, je sentais l'énergie du Chemin me parler. La fille aux cheveux noirs se livrait davantage à ma compréhension. Elle était maure et possédait le don de guérison par les mains. Elle suivait le Chemin à cheval, en soignant les malades. Ensuite je l'ai vue en compagnie d'un sultan géant. On l'appelait le Maure géant. Elle fut convoquée en sa présence. Je revivais la scène. Je me fondais dedans ; je devenais la fille maure dans un palais arabe. Je n'arrivais pas à distinguer les détails. Je ressentais plutôt l'atmosphère. Le sultan m'avait fait venir pour le guérir d'un problème d'impuissance. Il possédait de nombreuses courtisanes et ne pouvait pas les satisfaire. On m'avait ordonné de le guérir. Je me souvins de l'avoir regardé dans les yeux. C'était comme si mes yeux étaient les siens, d'un noir profond, brillants d'émotion. Je me sentis plonger dans ces yeux, demeurant immobile pendant un long moment. Il se détendit. Ensuite, je posai mes mains sur ses épaules. Il ne broncha pas. Je me servis de mon don en passant mes mains sur tout son corps. Ses gardes du corps surveillaient la scène. J'enduisis mes mains dans l'huile contenue dans une jarre faite de peaux de bêtes. Nos regards ne se quittaient pas. Il était docile et voulait comprendre. Il succomba à la vibration de mes doigts et fut bientôt excité sexuellement. Ses gardes partirent tandis que je consommais la guérison. Le Maure géant poussa un soupir de profonde satisfaction et, reconnaissant, il se reposa paisiblement. Je restai allongée auprès de lui.

Au bout de quelques heures, il s'assit. Il déclara qu'il voulait que je reste auprès de lui. Je refusai en lui expliquant que mon destin m'avait placée sur le Chemin pour guérir les gens. Il était furieux, appela ses gardes et me jeta en prison en compagnie d'autres femmes chrétiennes. Pâles, émaciées, elles gémissaient, exhalant leur haine envers leurs geôliers musulmans. Je voyais tout cela en marchant. Je me trouvais dans une sorte de méditation de rêve éveillé. La vision s'acheva abruptement. J'étais abasourdie.

Je me mis à songer au monde actuel. Je pensai à la Bosnie et à la Yougoslavie, à la haine des chrétiens contre les musulmans. Je pensai à l'Iraq et à Saddam Hussein ainsi qu'aux mollahs en Iran et à l'abîme issu de cette vieille haine entre musulmans et chrétiens. Je songeai à la haine qui couvait au Moyen-Orient entre les Arabes et les Juifs, à la naissance du monothéisme pendant leurs quarante jours d'errance avec Moïse dans le désert. Et, songeai-je, lorsque le monothéisme est devenu une réalité théologique, est-ce que Mahomet a entendu la même Voix que Moïse avait entendue ? Pourquoi croyait-on généralement que son Dieu était le Dieu unique ? Et ce qui m'intéressait davantage encore était le rôle joué dans les annales de l'histoire par les prouesses sexuelles, la puissance et l'agressivité ? D'une manière ou d'une autre, l'identité sexuelle était reliée à Dieu. Pourquoi ?

Un camion chargé de troncs d'arbre faillit accrocher mon sac à dos pendant que je marchai le long d'une route encombrée en vivant simultanément deux réalités. Le Chemin était à la fois ancien et moderne. Les ingénieurs d'aujourd'hui savent sans doute que l'énergie du Chemin en fait un emplacement privilégiée pour construire une route. Saints et soldats marquaient les deux extrêmes parmi ceux qui avaient expérimenté la « Voie ». Est-ce que la « voie du milieu » était possible dans ce monde ? Chacun d'entre nous semble avoir des vues extrêmes, d'une manière ou d'une autre, et les extrêmes sont toujours en conflit. Apprenions-nous ici à respecter *toutes* les opinions ?

Je n'avais mangé que des pruneaux et bu de la vitamine C dans ma gourde remplie d'eau. Anna s'était nourrie de Coca-Cola et de cigarettes. Nous avancions toujours. Je ne lui parlai pas des visions qui flottaient dans ma tête.

En arrivant à Pampelune, nous trouvâmes un refuge dans la crypte d'une église.

Cette nuit-là, j'eus des cauchemars. Je tombais en bas d'une montagne, je me noyais dans des torrents, glissant et heurtant des rochers. J'étais blessée et seule, redoutant que personne ne me trouve pour me venir en aide. Rêvai-je le présent ou le passé ?

A mon réveil, je vis qu'Anna emballait ses affaires, assise sur sa couchette. Je savais qu'elle allait me quitter.

– Montre-moi du doigt, dit-elle. Fais semblant de m'accuser de quelque chose.

Je pointai mon doigt vers elle.

– Tu as trois doigts pointés simultanément sur toi-même, d'accord ?

– Oui, répondis-je.

– Donc, lorsque nous jugeons quelqu'un, nous nous jugeons nous-même. Il n'y a pas de différence.

– Tu pars aujourd'hui, n'est-ce pas ? demandai-je.

– Oui. Tu as besoin d'être seule à partir de maintenant. C'est le sens du Chemin.

J'étais au bord des larmes. Je me rappelais ce que j'avais ressenti quand j'avais quitté la maison à seize ans. Je songeai à ce que ma fille avait dû éprouver lorsque nous l'avions mise dans le train pour aller en pension. Ses efforts pour contrôler bravement son émotion m'avaient émue jusqu'aux larmes tandis que je lui disais au revoir de la main.

Maintenant c'était mon tour d'affronter un pays étranger et une langue étrangère. Mais peut-être n'était-ce pas si étrange.

Peut-être étais-je supposée découvrir cette vérité. Je sentais que tant que je ne savais pas ce qui s'était passé *avant*, je présenterais une fausse image au monde, portant un masque qui m'aveuglerait et me désorienterait.

– Le Chemin te montrera le passé et l'avenir jusqu'à ce que tu prennes conscience de qui tu es maintenant, dit Anna. Tu n'auras pas d'autres distractions pendant que tu marches, seule, dix heures par jour. Sois vigilante et diligente pendant que tu marches et que tu médites. Je t'aurai à l'œil, de loin.

Je ne pus prononcer une parole. Je ne voulais pas montrer la crainte que me causaient mes faibles capacités. Que ferais-je si personne ne m'aidait ? Et que ferais-je si les gens me reconnaissaient et montraient trop de sollicitude ?

Anna attacha son sac à dos autour de sa taille, me serra très fort dans ses bras, et sortit de la crypte. Elle était vraiment partie.

7

Refoulant mes larmes, je rassemblai rapidement mes affaires, enfilai mon sac à dos et, après avoir grimpé quelques marches, me retrouvai dans les rues de Pampelune.

Je marchai seule pendant un moment sans être certaine d'aller dans la bonne direction. Ouest, me dis-je, je devrais marcher vers l'ouest. Les gens se pressaient dans les rues, absorbés par leur travail et leur vie quotidienne. Je n'en faisais pas partie ; j'étais en pèlerinage et je n'avais rien à voir avec ce qui se passait autour de moi. Je me sentais isolée et paralysée. C'était pire que d'être perdue dans la solitude de la campagne, car ici, en ville, je me sentais sous le regard des gens.

Dans une ville, j'étais habituée à avoir une identité et à jouer un rôle. Dans la paix de la campagne, je pouvais me fondre dans la nature même si je ne savais pas où aller.

Je marchai pendant un moment, sans même en avoir conscience. Quel était mon but à cet instant précis ? Trouver une flèche jaune ? Soudain, j'aperçus devant moi trois femmes qui portaient des coquilles Saint-Jacques sur leurs sacs à dos. Je savais qu'elles participaient au pèlerinage. Je me ressaisis et tentai de les rattraper. Elles parlaient espagnol comme des mitraillettes; je les suivis un moment. Elles semblaient chercher aussi la flèche jaune. Elles s'arrêtèrent subitement. Elles l'avaient trouvée. La flèche indiquait une direction hors de la ville. Je me sentis mieux. Tandis que les femmes poursuivaient leur route, je fonçai vers une cabine téléphonique. J'aperçus mon image dans la vitrine d'un magasin : j'étais pitoyable.

Après avoir essayé pendant quelques minutes d'obtenir un appel international, je réussis à appeler Kathleen à Londres.

Lorsqu'elle répondit, je lui racontai ce que j'éprouvais avec une sorte de bravoure triste et humble. Elle dit qu'elle ressentait la même chose.

– J'ôte l'alliance de Ken, à présent, dit-elle. Suis le Chemin pour moi. Bientôt, je vais quitter cette vie et toi, tu en trouveras une nouvelle. Je marcherai auprès de toi.

Sa voix se mit à trembler et elle raccrocha doucement.

Je remis le récepteur sur son support et j'écoutai la rumeur de la circulation. Ensuite, je me regardai à nouveau dans la vitrine du magasin tandis que je partais vers la prochaine ville, en écoutant le carillon des cloches.

Je passai devant la cathédrale située au cœur de l'ancien quartier de Navarreria. C'était pour les pèlerins un lieu de culte traditionnel, magnifique avec ses nombreuses chapelles et le musée attenant qui conservait les œuvres d'art de la cathédrale, d'autres églises de la région, sculptures et manuscrits. Des batailles sanglantes s'étaient déroulées ici, commémorées par de nombreuses églises qui évoquaient le passé violent de Pampelune au Moyen Age. L'église de San Domingo était décorée de coquilles Saint-

Jacques. L'autel principal était surmonté par une statue de saint Jacques.

Je suivis les flèches jaunes à travers la banlieue de Pampelune, racontant à mon bâton l'histoire de cette terre imprégnée de sang au Moyen Age. Je décidai que mon bâton était mâle et saurait traverser l'Espagne tout seul.

En pleine campagne, je regardais souvent par terre pour ne pas perdre de vue les flèches jaunes. Le Chemin était jonché de détritus, paquets de cigarettes, sacs en plastique, cartons, journaux et préservatifs. Comment pouvait-on souiller ainsi cette terre sacrée ? Plus tard, me débarrasserai-je moi aussi de mes possessions si mon sac à dos devenait trop lourd ?

Une benne à ordures me dépassa. Cela me fit penser à la « ville des ordures » en Égypte. Des gens y vivaient. Mes amis occidentaux en étaient horrifiés. J'avais lu une paix résignée dans les yeux de ces habitants qui ne possédaient rien. Je songeai au poids des possessions et à la nécessité d'être identifié par ce que l'on accumule. Je ressentais une certaine liberté en sachant que ma survie et mon évolution probable étaient liées au fait de ne posséder que ce dont j'avais besoin, mais de quoi avait-on besoin ? Je me souviens d'avoir entendu une anecdote, apocryphe peut-être, sur l'insistance de Mère Teresa à faire dépouiller de son luxe un hôtel quatre étoiles – au coût de cent mille dollars – afin qu'elle puisse y résider dans la pauvreté. Il y avait là quelque chose de tordu, me semblait-il.

Je m'appuyai contre un arbre, avec mon bâton, contemplant les hameaux et les villages dans le lointain, en écoutant le croassement des corbeaux. Des champs de blé s'étalaient dans des vallées brumeuses. Je commençais à faire confiance à la terre.

Je fis une prière à Ken pour qu'il demande à Dieu de guérir la maladie de Kathleen. Je sentis qu'il refuserait parce qu'il la voulait auprès de lui. Kathleen m'avait raconté que Ken lui avait dit un jour que, pour lui prouver son amour, il fallait qu'elle sombre avec lui. Je suppose que ça incluait de monter au ciel.

Une énorme chenille escalada ma chaussure et la traversa. J'observai son cheminement en me demandant quand elle deviendrait papillon.

Je ne sentais plus ma hanche gauche, sans qu'elle me fasse mal pour autant. Peut-être un nerf coincé ?

J'entendis les cloches des églises de campagne. Leurs carillons me firent penser à mon enfance dans le village où mon père était né, à Front Royal en Virginie, niché dans la Shenandoah Valley. Notre famille se livrait à d'âpres discussions pour savoir qui, des méthodistes ou des baptistes, ouvrait vraiment la voie vers Dieu ! Les vues simplistes abondaient.

A mon arrivée au refuge de Puente la Reina, je fis la connaissance de deux Irlandaises qui faisaient frire des saucisses et des nouilles sur un réchaud. Elles m'avaient reconnue et m'affirmèrent que mes livres les avaient inspirées. Elles se mirent à chanter des chants irlandais et à jouer de la flûte comme pour évacuer l'environnement espagnol. Elles parlaient tout le temps, ce qui me dérangeait. Je me sentis pointer un doigt vers elles et trois sur moi-même.

Pourtant, elles avaient de jolies voix. Cela me rappela l'histoire qu'Anna m'avait racontée au sujet d'un jeune homme sur le Chemin qui avait une belle voix mais qui était trop timide pour parler, encore plus pour chanter. A la fin de son pèlerinage, on avait organisé une célébration à l'église, à laquelle le prêtre n'était pas venu. Les autres pèlerins supplièrent le garçon de chanter. Il chanta d'une voix si mélodieuse que l'assistance se mit à pleurer. Ses compagnons comprirent qu'il avait surmonté son blocage grâce au pèlerinage.

Je commençai à remarquer que les Irlandaises et d'autres habitants du refuge me traitaient comme une

célèbre actrice de Hollywood. Je désirais être considérée comme tout le monde, mais cela me gênait de le
leur demander. Anna m'avait dit : « Souviens-toi que
tu n'es pas comme les pèlerins anonymes. Tu portes
ton poids de célébrité. Prépare-toi à cela. »

Je réfléchis un moment à ce poids de la notoriété
qui m'accompagnait partout où l'on me reconnaissait.
Les gens me confiaient leurs sentiments les plus
intimes parce que je leur inspirais confiance. Mais
j'avais l'impression que, dans la plupart des cas, ils me
présentaient une image qui n'était pas authentique et
qui se référait à ce qu'ils pensaient de moi. Je désirais
aller au-delà de leurs secrets les plus intimes. Je voulais connaître les aspects de leur personnalité qui
n'étaient pas mis en scène. J'avais été une « célébrité »
depuis l'âge de vingt ans et j'avais été confrontée à des
gens qui présentaient plus un rapport à moi qu'à eux-
mêmes et entre eux. Les gens ordinaires n'aiment pas
montrer leurs défauts aux célébrités. Néanmoins, ils
partagent sans complexe leurs peurs et leurs secrets
les plus profonds. Peut-être parce qu'ils savent que
notre travail en public nous rend plus sensibles à leurs
peines.

Je n'avais pas envie de chanter avec les Irlandaises
parce que j'étais une professionnelle et que je voulais
chanter simplement comme elles.

Après ce dîner en chansons, je découvris la manière
d'ouvrir mon sac de couchage par le bas et m'endormis rapidement.

A mon réveil, je décidai de me débarrasser d'un pull
et d'une paire de chaussettes. Ma vie dépendait du
poids de ce que je portais.

Le lendemain, le handicap de la célébrité se fit
sentir.

Un photographe attendait à la porte du refuge, son
appareil photo à la main. Les deux Irlandaises se placèrent immédiatement devant moi pour me protéger

et lui dirent de s'en aller. Les autres pèlerins étaient sidérés.

Les Irlandaises assumèrent leur rôle de protectrices et marchèrent devant moi, les deux jours suivants. Il y avait des journalistes dans la montagne. Les Irlandaises les chassèrent. Mais je savais que la nouvelle s'était répandue. Ce rôle de gardes du corps semblait amuser les deux filles. Cela les distrayait de la monotonie de la marche. Quant à moi, j'avançais dans deux mondes à la fois. L'un, de paix et de méditation, l'autre de crainte que cette sérénité soit interrompue.

J'ouvris au hasard mon petit exemplaire du Nouveau Testament comme Anna me l'avait suggéré. Je tombai sur les Actes des Apôtres, verset 9, l'histoire de Paul sur le chemin de Damas. Il avait vu la lumière. La verrais-je aussi ? Qu'attendais-je de ce pèlerinage ? Aucun des pèlerins que j'interrogeai ne pouvait m'expliquer pourquoi il suivait le Chemin. Ce sujet de conversation survenait chaque soir au refuge. Une impulsion, presque une compulsion, nous avait poussés à interrompre nos vies, à mettre tout en suspens pour venir à Compostelle. Personne n'en connaissait la raison précise. Certains d'entre eux s'étaient même enfuis pour accomplir le pèlerinage. Un Danois qui avait surpris sa femme avec un amant avait emmené son chien avec lui et s'était rendu en Espagne pour y voir clair. Une femme qui souffrait d'arthrite pensait qu'elle pourrait être guérie par l'exercice de la marche et l'énergie du Chemin. Mais personne ne comprenait la raison de son âme. Il y avait un élément plus profond *maintenant* que nous en discutions ensemble.

J'entrais dans les champs de blé jusqu'à la taille, puis dans des vergers de pommiers où le vent soufflait des éclats de soleil sur les feuilles.

Un couple de Hollandais paraissait alourdi par ses possessions comme s'il était réfugié de guerre.

Je perdis de vue les Irlandaises, manquai un pont et m'égarai pendant une journée. Cela ne me troubla pas le moins du monde. Mon odorat s'accroissait, et comme je m'étais perdue, j'avais semé les journalistes.

J'éprouvais une sensation de bonheur et avançais lentement, en état de méditation. Soudain, un chien bondit de nulle part devant moi et manifesta en grognant qu'il ne voulait pas de ma présence. Il bloquait mon chemin. Je ne pouvais pas reculer ni faire un pas de côté, le sentier était trop étroit. J'étais confrontée à ce que j'avais toujours redouté. Il aboyait rageusement. Je me rendis compte que je ne pouvais pas comme Anna m'arrêter pour prier dans un moment pareil. Levant mon bâton, je me souvins de ce que mon amie indienne Hopi m'avait dit :

– Visualise un cœur rouge, emplis-le d'amour, et projette-le sur le chien sans hostilité.

Je formai un cœur rouge dans mon esprit, l'emplis de tout l'amour dont je pouvais disposer et le projetai vers le chien. Mon bâton toujours levé, je décidai de quitter le sentier pour contourner l'animal malgré les buissons et les ronces. Il gronda de plus belle tandis que je continuai à visualiser le cœur rouge en marchant. Il m'observa avec curiosité en me regardant gagner le sentier. Il s'élança vers moi encore une fois pour me faire peur, mais je m'enfuis en courant avec mon sac qui ballottait sur mon dos. Il me pourchassa, puis renonça au bout d'un moment.

Je m'arrêtai. Quand je me retournai, il avait disparu.

Essoufflée et ayant attrapé une autre ampoule, je comparai les chiens aux médias : ils se déplaçaient en bande et vous « pressaient » d'extraire votre vérité.

J'ai toujours eu de bons rapports avec les journalistes, ayant vécu avec deux d'entre eux durant de longues années, en admirant leur curiosité et leur besoin de connaître la vérité sur les gens. Le Quatrième Pouvoir était le garant d'une civilisation honnête. Pourtant, ils pouvaient devenir envahissants, d'une façon brutale. Pour vendre leurs journaux ou faire sensation à la télé, ils forçaient l'intimité des gens. La soif du public pour les nouvelles concernant les célébrités contribuait autant aux vulgarités des magazines à sensation. Les journalistes que je connaissais, en général objectifs, vérifiaient leurs sources. Cependant, quand il s'agissait de reportages sur des sujets métaphysiques ou spirituels, ils manifestaient des préjugés fondés sur leur sentiment d'être bernés par le sujet en question. La plupart des journalistes n'éprouvent pas d'intérêt à se connaître eux-mêmes. Ils ont l'illusion que leurs croyances personnelles seraient susceptibles d'influencer leur objectivité. Leurs jugements sarcastiques en disent plus long sur eux-mêmes que sur la personne qu'ils doivent étudier. Mon expérience avec la presse était en général positive quand il s'agissait de ma carrière, de mes activités politiques, de mon goût du voyage et même de mes écrits sur la réduction du stress par la méditation – c'est-à-dire le monde « réel ». Mais quand il s'agissait de mon intérêt pour la réincarnation ou la guérison par la thérapie des vies antérieures, ou de mes spéculations sur l'activité des ovnis ou d'autres sujets qui ne sont pas encore acceptés par le monde scientifique, une incrédulité négative dominait. Lorsqu'un critique de cinéma ironisa sur un rôle que je jouais en rapport avec une vie antérieure, il pratiquait un journalisme mesquin qui ne faisait pas honneur à sa profession.

Les chiens sont comme les journalistes. Ils testent votre vérité. Si je marchais en croyant ne faire qu'un avec Dieu, la tête dans les étoiles et les pieds sur terre, le chien menaçant ou le journaliste trop curieux venaient vérifier si je me trouvais en éveil et en paix. Je l'étais en vérité. J'espérais m'améliorer. Ce chien surgi sur mon chemin m'inspirait un profond respect et m'a incitée à réfléchir longuement sur la manière de dominer ma peur.

Mes rapports avec les journalistes devraient être plus compliqués. Ils prenaient plaisir à dénigrer la spiritualité des émotions humaines. Quand la science déclarait que rien ne saurait être prouvé par l'intuition ou les croyances spirituelles, la presse s'alignait sur cette idée. Lorsque la science prétendait qu'une observation objective n'était pas possible à travers la conscience – envoyant promener la perception psychique, en prétendant qu'il s'agissait au mieux d'un phénomène accidentel – la presse approuvait.

La presse et la science ne respectent pas les sentiments. Elles préfèrent les observations collectives qu'elles baptisent *faits* consensuels. C'est comme si les scientifiques et les journalistes ne se permettaient pas d'être humains. En fait, ce sont *eux* les étrangers dans la société des hommes. Ils cherchent à établir une race nouvelle dépendante d'eux et incapable de ressentir. Si une personne n'est pas rationnelle selon leurs critères ou motivée par la science, elle est mise au ban de la société.

La spiritualité est la découverte de notre capacité à percevoir. On pourrait la définir comme un état « théopathe ». Lorsque nos émotions s'alignent sur le Divin, nous comprenons davantage qui nous sommes. Une revitalisation des émotions fondamentales s'opère.

La religion a tenté de satisfaire ce désir en canalisant les croyances et le comportement sous une forme acceptable pour la société. La science a tenté de se débarrasser des émotions et du spirituel en recherchant un consensus de connaissances et de faits. La science croit que les émotions minent l'objectivité. Il me semble que l'objectivité n'a jamais existé. La réalité dépend toujours de la perception individuelle.

Je constatai que le Chemin racontait l'histoire des factions religieuses, chacune se réclamant d'une supériorité spirituelle. Tant de gens ont été cruellement emprisonnés par l'Église au nom du christianisme! A présent, la science, souveraine, emprisonne à son tour la spiritualité.

La presse rapporte la situation en adoptant le point de vue des gardiens de chaque prison, tout en revendiquant l'objectivité.

La prise de conscience des sentiments est unique chez l'être humain. Les médias ridiculisent cette conscience et se permettent de l'étouffer.

Le vrai courage de l'individualisme consiste en la capacité de vivre sa passion. Les véritables étrangers sont ceux qui se sont détachés de la possibilité de privilégier les sentiments. Si nous pouvons nous réconcilier avec nos émotions, nous ne nous laisserions pas manipuler pour tuer. Si les institutions ne nous aident pas à définir nos sentiments, nous n'avons pas à les respecter et nous pouvons les ignorer, probablement avec violence.

L'obligation morale de l'humanité est de rechercher la joie à travers la perception de la divinité.

Je pense que je suivais le Chemin pour me sentir de nouveau un être humain.

Dans la ville d'Estella, sur la route de Los Arcos, je m'arrêtai dans une boutique pour acheter un chapeau moins voyant et un tube d'écran total pour dissimuler mon coup de soleil. La vanité était toujours présente. J'avais une crampe dans la jambe droite. Je commençai à sentir la transpiration dans ma chemise en tissu synthétique. Le coton était plus agréable mais séchait moins vite. La brise dispersait la sueur mais l'odeur persistait. Je suis quelqu'un de très méticuleux, surtout en ce qui concerne l'hygiène corporelle. Cet état de chose m'était donc particulièrement désagréable.

Je m'achetai de nouvelles boules Quiès à la cire d'abeille qui se nichent plus confortablement dans les oreilles.

En quittant la ville, je jetai un coup d'œil sur un journal. J'y figurais en première page! On identifiait facilement mon chapeau et mon sac à dos. Je mis mon nouveau chapeau et continuai à marcher. Personne ne me remarqua.

J'éprouvai pour la première fois le désir de fuir. M'enfuir n'importe où afin d'être seule et de ne pas être reconnue. Les Irlandaises devaient marcher à quelques kilomètres devant moi. J'arrivai bientôt en pleine campagne et je trouvai un arbre à l'ombre duquel je m'assis. Je m'endormis aussitôt contre mon sac à dos.

Les images défilaient dans ma tête. J'étais perturbée. C'est alors qu'un événement étrange survint, que je n'ai pu m'expliquer. Je ne rêvais pas vraiment, mais je ne sais comment décrire ce qui est arrivé. Je courais sur la piste, brune, mince, avec de longs cheveux noirs. J'étais habillée de la même façon que dans mon rêve précédent. J'avais l'impression de vivre un épisode familier et d'intensément réel. Je tentai d'éviter des soldats qui guerroyaient. L'un des groupes de soldats, blanc, brandissait une croix en combattant. Les autres, à la peau basanée, se battaient avec de longs couteaux. Ils portaient des costumes bigarrés et parlaient une langue que je croyais mienne mais que je ne comprenais pas. Je m'enfuis dans la forêt jusqu'à un feu de camp. Un soldat chrétien m'entendit et m'arrêta. Il m'emmena dans un campement. L'un des soldats me jeta un regard lubrique et s'avança vers moi en titubant. Il était saoul et rigolait. Je le regardai, clouée sur place, ne sachant pas quoi faire. Alors, un homme vêtu d'une robe de moine sortit de l'ombre. Il s'interposa entre moi et le soldat ivre et me conduisit sous une tente où vacillait la flamme d'une bougie.

— Je suis John l'Écossais [1], dit-il avec un accent archaïque mi-écossais, mi-irlandais. Vous avez une peau ravissante.

1. L'auteur parle ici de Jean Scot Erigène, connu sous le nom de Scot Erigène, en réalité contemporain de Charles le Chauve.

J'étais flattée, dépourvue de peur. Je m'entendis lui dire :
– Votre peau a la couleur du suif des chandelles.
Il s'assit et se mit à masser ses énormes pieds. Il était massif et ventru avec une peau blanche parsemée de taches de rousseur. Il avait des yeux malicieux d'un bleu profond.
– Vous ne faites pas partie de la résistance maure sur cette piste ? demanda-t-il.
– Non, dis-je. Je suis arabe mais avec un héritage hébreu. Je ne connais pas la vérité, mais je sais que le Coran et la Kabbale représentent la même vérité. Je soigne les gens avec des plantes. Je respecte la croix mais ce qui pend entre les jambes d'un soldat ne m'intéresse pas. Je parle la langue des ancêtres de ma mère – l'hébreu.
J'étais fascinée par l'étrangeté de mes paroles. D'où sortaient-elles ?
Le moine me regardait fixement. J'éprouvai le besoin de m'expliquer davantage.
– Il est paradoxal de voir des armées s'entre-tuer pour prouver quelle vérité prime l'autre. Et pourquoi les chrétiens viennent-ils prier sur les reliques de saint Jacques qui était juif ? Ce Chemin est le cheminement du désir du corps de s'unir à l'esprit, non séparé de sa tête comme pour saint Jacques.
Le moine me fit signe de m'asseoir devant une petite table en face de lui. La bougie éclairait son visage rougeaud et intelligent.
– Vous savez lire et écrire ?
– Assurément, répondis-je.
– Qu'est-ce qui vous rend différente des autres païens ?
– La même chose qui me rend différente d'une idiote !
– Et qu'est-ce que c'est ?
– Cette table, monsieur.

Il rit.

Le dialogue qui suivit demeure vague dans ma mémoire. Je me souviens davantage des sujets abordés et de mes sentiments les concernant que des détails de la conversation. Nous avons parlé de la nécessité de l'éducation et des mouvements des astres en termes astrologiques. Je savais que cette science était très respectée en ce temps-là. Il dit qu'il avait étudié les textes romains et connaissait ainsi le lieu du sépulcre de saint Jacques. Il dit aussi qu'il désirait travailler avec moi afin d'obtenir les nombreux textes anciens qui se trouvaient dans les bibliothèques d'Alexandrie contrôlées par les Maures. Il avait besoin de mon aide pour les apporter à la cour de Charlemagne où il servait de précepteur au roi illettré des Francs. Il ajouta que la plupart des courtisans étaient illettrés ; c'était pour cela qu'on l'avait fait venir d'Écosse et d'Irlande. Des textes anciens sur des secrets divins, préservés là-bas, intéressaient Charlemagne.

Ensuite, je rêvai qu'il sortait d'un coin de la tente une sorte de houlette.

– Ceci est un bâton druidique, dit-il. Il a reçu le pouvoir des énergies qui proviennent de la méditation et des prières. Il a été plongé dans les anciens puits qui, croyons-nous, contiennent les esprits des saints.

Il me tendit le bâton. Je le tapai doucement sur le sol en terre battue de la tente. J'aimais la sensation qu'il me donnait. Il semblait amical. John continua :

– Je suis moitié écossais, moitié irlandais. Je suis né et j'ai grandi dans le lieu où le Livre de Kells a été écrit.

Au même instant, deux autres moines entrèrent. Ces hommes avaient le visage des deux Irlandaises que j'avais rencontrées sur le Chemin.

– Ces religieux te protégeront. Ils seront tes boucliers contre ceux qui te « pressent » trop.

Alors se produisit un événement qui m'étonna comme si, dans ma propre vision onirique, je rêvais en suivant un temps parallèle. Pendant que John l'Écossais parlait, je revivais le passé en même temps qu'un rêve futur. Il n'y avait pas de séquence linéaire, seulement les faits et les images qu'il évoquait.

– Tu seras capturée par le Maure géant, dit-il. Au début, il t'utilisera pour le guérir, mais lorsque tu refuseras ses avances, il te fera emprisonner dans un donjon. Il te convoquera, de temps en temps pour parler de guérison et du sens de l'existence de Dieu. Tu lui transmettras ce que tu sais du christianisme. A sa mort, tu seras délivrée par les chrétiens.

Les images défilaient dans ma tête : j'avais déjà rêvé de cet emprisonnement la semaine précédente.

– Le Maure sera vaincu par Roland, le preux chevalier de Charlemagne. Pendant son agonie, le Maure me priera de venir auprès de lui. Il me remettra une petite croix d'or et me demandera de te la confier pour ta protection. Cette croix aura une forme telle qu'elle pourra aussi bien être interprétée comme copte, chrétienne ou islamique d'Égypte. C'est un symbole de chance. De nombreux subterfuges religieux sont employés le long du Chemin pour apaiser le Dieu de l'ennemi en cas de capture. Dans tous les cas, tu seras libérée.

Je vis la scène qu'il décrivait. Le chevalier Roland avait la moitié de la taille du Maure géant. Ils luttèrent en un combat rapproché avec des gourdins et des bâtons, au soleil, au pied d'un mur. Ils se battaient presque avec bonne humeur. A un moment donné, le Maure souleva Roland et le plaça sur son cheval. Ils riaient tous les deux. Le Géant déposa ses armes et demanda de faire une pause afin de se reposer. Lui et Roland entamèrent un dialogue pour savoir lequel du christianisme ou de l'islam était la vraie religion. Ils discutèrent pendant des heures. Ils décidèrent que le vainqueur serait le représentant de la vraie religion. Ensuite, ils évoquèrent l'invulnérabilité du Maure qui confessa qu'un coup d'épée dans son nombril lui serait fatal.

Ensuite, ils décidèrent de dormir. Je vis Roland placer une pierre sous la tête du Géant pour qu'il soit plus à l'aise. Respectant les lois d'honneur de la chevalerie, ils se mirent d'accord pour ne reprendre le combat qu'à leur réveil respectif.

Quelques heures plus tard, ils ouvrirent les yeux ensemble. Et reprirent le combat. Roland poussa le Maure sous le menton pour le déséquilibrer. Ils tombèrent tous deux à terre. Ils se relevèrent et remontèrent à cheval. Ils blessèrent grièvement leurs chevaux à coups de sabre. Chaque combattant lâcha son épée et affronta l'autre à coups de poing et de pierres. La nuit tomba. Ils décidèrent d'une nouvelle trêve et s'endormirent. Le lendemain matin, le Géant était fatigué. Chacun respectait le courage de l'autre. Roland se réveilla avant le Géant. Il s'empara de son épée. Quelques instants après, le Maure s'éveilla à son tour. Il ne remarqua pas que son épée avait disparu. Ils discutèrent de nouveau sur le vrai Dieu. La colère monta entre les deux antagonistes. Quand le Maure détourna les yeux, Roland enfonça son épée dans son nombril. Tandis que le Maure géant était en train de mourir, il réclama la présence de John l'Écossais. Celui-ci, qui avait assisté au combat, accourut. Le Maure sortit une croix de sous sa robe et la lui donna en lui recommandant de me la remettre. Il avait utilisée pour négocier avec les chrétiens lorsque lui-même ou ses hommes les affrontaient.

Je me mis à pleurer pendant que je rêvais. En observant attentivement le visage du Maure, je vis celui du directeur de ma société, Mike Flowers. Je me retrouvai ensuite sous la tente de John, en train de l'écouter.

– Tu vois, dit-il, M. Flowers est maintenant ton fidèle associé qui paie sa propre dette.

Je fondis à nouveau en larmes. J'avais besoin d'assimiler les paroles de John, mais il poursuivit son discours. Si tant de guerres s'étaient produites le long de « la voie », c'est parce que l'énergie souterraine intensifiait les émotions humaines. Il ajouta que le Chemin accentuait les sentiments de frustration sur des problèmes non résolus – sentiments de haine, d'angoisse, de peur, de désir sexuel et d'amour – car ils étaient accrus. Il dit aussi que cette énergie intensifiait le karma entre des forces contraires. Des lignes de force avaient été placées là il y avait bien longtemps, pour des raisons que j'apprendrais plus tard. Ces lignes de force étaient directement alignées sur les constellations des étoiles, qui aideraient à résoudre les conflits si l'on savait les interpréter correctement. Selon lui, les rêves et les visions des pèlerins laissaient l'empreinte des vérités du passé, qui créaient des réminiscences faisant partie du subconscient tapi au fond de chacun de nous et qui permettent de discerner l'avenir.

Il dit encore que les gens retournaient sur les lieux de leur passé parce qu'ils avaient l'intuition que le karma qui y demeurait attaché se doit d'être résolu.

Ensuite, il évoqua plus précisément la vision de mon rêve.

– Le jeune homme que tu as rencontré au début du pèlerinage est complètement fou. Il avait été blessé dans une bataille au cours de laquelle tu as tenté de le secourir. Tu l'as soigné avec tes plantes. Ton visage était le dernier qu'il ait vu avant que son âme ne s'échappe de son corps. Il t'a aimée mais cet amour n'a jamais été consommé. Ni aucun de ses amours d'ailleurs, car il ne sait pas comment aimer. C'était un guerrier. Il n'a jamais pu être totalement lui-même parce qu'il n'a jamais connu Dieu. Lorsqu'on n'éprouve pas d'amour pour les animaux, les oiseaux, les poissons ou la brise sur la peau, on ne connaît pas

78

Dieu en soi et on ne peut pas aimer. Ainsi, ce jeune homme écarte les femmes de lui avec sa passion sexuelle. Aujourd'hui, son âme t'a reconnue.

Tandis que John l'Écossais parlait, je vis le visage de Javier qui me regardait pendant que je le soignais. Soudain, son visage se transforma et prit les traits du Latino sur la piste de Calabasas. Le moine continua son explication :

– Ces deux individus souffrent d'un manque de cohésion entre l'amour physique et l'amour de l'âme. Tu en saisiras les raisons très anciennes plus tard.

Dans mon rêve – ou ma vision – le temps devint confus. J'existais à la fin du vingtième siècle. Au même moment, j'expérimentais une aventure au huitième siècle, à l'époque de Charlemagne, tandis que ces flashes avec John l'Écossais me semblaient aller et venir dans le temps.

La vision se poursuivit d'une façon linéaire. Je me vis en jeune femme arabe délivrée de sa prison. Le moine était devenu mon précepteur. Je vivais parmi les soldats chrétiens le long du Chemin. Ils me harcelaient sexuellement, mais mon précepteur me protégeait.

A un moment, je me suis baignée dans une rivière. L'eau était froide, alors je me suis dirigée lentement vers la berge où je fus agressée par plusieurs soldats chrétiens. Je leur tins tête mais j'étais angoissée. John sortit de la forêt. Il surveillait la scène. Il s'approcha de moi et se mit à psalmodier des incantations associées avec les rites du baptême. A l'aide de ses grands bras, il me fit reculer et m'enfonça la tête sous l'eau. Je remontai en toussant et en hurlant des injures en arabe. John comprit mes protestations parce qu'il parlait cette langue. Les soldats ne comprenaient pas.

Je l'entendis leur dire que j'avais eu une vision mystique, qu'il me baptisait pour faire de moi une chrétienne et qu'ils devaient s'en aller immédiatement. Ils lui obéirent.

Il me sortit de l'eau et glissa une croix d'or sur une chaîne autour de mon cou. C'était celle que le Maure lui avait donnée.

– Tu as porté cette croix pendant toute ta vie, dit John. Comme personne ne savait si tu étais chrétienne, musulmane ou juive, cela t'a sauvé la vie. Personne ne se risquerait à t'accoster ou à t'arrêter sans savoir à quelle religion tu appartiens. Tu as souvent parcouru le Chemin en pratiquant de nombreuses expériences. C'est pourquoi tu es ici aujourd'hui. Beaucoup de gens ont besoin de soutien.

Le religieux était assis à une table en face de moi en train de me parler d'un *avenir* pendant cette période du passé, pourtant tout survenait *maintenant* dans mon rêve.

Il continua son récit dans le futur.

– Je t'ai amenée à la cour de Charlemagne où on t'a respectée. Tu es devenue conseiller de l'Empereur dès que l'influence et les frontières des Maures ont été stabilisées.

Simultanément, par un flash-back, je me suis vue dans cette cour médiévale. Je portais des vêtements de chrétienne, mais ma longue chevelure noire et ma peau foncée attiraient l'attention. Je me liai d'amitié avec l'Empereur et passai de longues heures avec lui, assise sur des peaux de bête devant une immense cheminée. John dit que Charlemagne avait eu trois ou quatre femmes et de nombreuses maîtresses. Très vigoureux, il adorait les femmes. Il aimait beaucoup nager. Je me vis dans une piscine d'eau chaude alimentée par une source claire. Nous jouions dans l'eau, vêtus de nos sous-vêtements. Je lui parlai de la poésie maure que je lui traduisais car il n'était pas cultivé. Malgré son orgueil, il n'avait pas honte de son manque de culture. Il souhaitait comprendre le Dieu de l'islam en le comparant au Dieu de son pape. Il parlait du pape avec un profond respect et une affection sincère. Il disait qu'il lui consacrait sa vie. Il avait promis à son père de travailler pour l'Église de Rome.

Je portais toujours ma croix d'or. John m'expliqua qu'elle représentait l'équilibre de la terre dans les quatre directions. Celui qui la portait s'ancrait sur la planète Terre, ce qui lui apporterait les joies et les peines de l'existence terrestre.

Je voyageai sur le Chemin dans un carrosse, entourée d'une suite de serviteurs, protégée par des soldats à cheval.

– Tu es souvent revenue dans ton pays, continua le religieux. Tu collationnais des parchemins arabes et tu les rapportais à la cour de Charlemagne où toi et moi, avec le roi, nous étudiions leur sens.

Je nous revoyais à la lumière du grand feu qui vacillait sur les murs de pierre, traduisant les textes de sages arabes, discutant sur l'existence de Dieu et la signification de la guerre par rapport à l'amour de Dieu. Un jour, le roi demanda à la cour l'autorisation de me déclarer officiellement comme étant l'une de ses maîtresses. La cour refusa en raison de mes origines. Il annonça ouvertement son amour pour moi et voulut en faire la preuve. Il emmena la cour au bord de la mer, à marée haute, et déclara que son amour était aussi puissant que la marée.

– On ne peut arrêter l'amour ni la marée, dit-il.

Les courtisans, impressionnés, m'autorisèrent à être une concubine, mais rien d'autre. Je savais que je n'étais qu'une de ses femmes parmi beaucoup d'autres. J'avais également des amants, mais la chose la plus importante pour moi, plus essentielle même que le roi, était d'apprendre.

Je passai beaucoup de temps avec John à débattre des grandes vérités de chaque religion. Il avait un esprit libre et drôle. Nous discutâmes joyeusement, jusqu'à ce que l'ombre du roi surgisse devant la grande porte en bois. Il insista : il avait besoin de ma présence dans ses appartements. Les tables étaient couvertes de fruits et de noix. Le feu ardent illuminait son visage.

Charlemagne connaissait le mouvement des étoiles mais il souhaitait en savoir plus. Il se conduisait comme s'il était le maître mais en réalité, il se transformait en un élève curieux de tout.

Il portait une chemise en lin. Ses jambières étaient du même tissu. Des bandes serrées les enveloppaient. Il avait aux pieds des bottes en cuir souple. Quand il avait froid, il portait un justaucorps en cuir. Lorsqu'il s'habillait pour paraître en public, il jetait par-dessus son épaule une cape bleue. Une épée à la poignée d'or pendait à sa taille. Sa couronne d'or était incrustée de joyaux. Il possédait également une épée à la poignée ornée de pierres précieuses qu'il portait pendant les fêtes et les célébrations officielles. Elle était dissimulée sous ses tuniques aux tissus brodés.

– Tu lui as donné trois enfants, dit John. Tu as vécu jusqu'à quatre-vingt-trois ans. Tu as été peinée de voir tes enfants déshérités à la mort de leur père à cause de leur sang arabe.

Je l'écoutais en ayant l'impression de me trouver dans un rêve à l'intérieur d'un rêve. Comme s'il me parlait au temps présent, il ajouta :

– Tu as refait connaissance avec l'âme qui était alors celle de Charlemagne, dans l'existence où tu te trouves actuellement.

J'essayai de comprendre.

– Vous voulez dire que je l'ai rencontré de nouveau au cours de ma vie actuelle ?

– Certainement, répondit-il.

– Eh bien, qui est-il ?

Les yeux de mon interlocuteur, pleins de bonté, prirent un éclat malicieux.

– Mon enfant, tu le sauras quand tu auras suivi ton Chemin plus loin. C'est pour cela qu'il existe, n'est-ce pas ?

– Je ne suis sûre de rien, ces temps-ci, dis-je. Je ne sais même pas ce qu'est le temps ni à quelle époque nous sommes !

– Précisément, répondit-il.

Je ne savais comment continuer, ni dans ma vision ni dans ma marche sur le Chemin.

Le religieux dit encore :

– Souviens-toi que le Chemin te permet de te rappeler qui tu es. Tu es le dépositaire de nombreuses expériences le long de ton voyage dans le temps. Pendant que tu avances, en fait, tu descends en toi-même, ce que tu nommerais remonter le temps. En vérité, tu essaies d'aller de l'avant vers le commencement. *Ultreya...* avoir du courage, car toutes les routes mènent au commencement. Tu t'en apercevras le moment venu. Ainsi tu dois poursuivre ta route, en dehors du temps, jusqu'à ce que tu expérimentes la boucle symétrique qui te fera comprendre ce qui est survenu autrefois. Les lignes se retrouvent en boucle au commencement.

Je sentis le vent sur mon visage. En frissonnant, je revins à moi. J'étais toujours assise contre l'arbre, seule. En sécurité. Pas de presse en vue. Je regardai ma montre. J'étais restée deux heures dans cet état intermédiaire. Je me relevai, m'étirai et je me mis à marcher en dictant ce dont je me souvenais dans mon petit magnétophone.

Je marchais ainsi plusieurs heures en enregistrant un rêve, ou des souvenirs d'une vie antérieure, ou un agrégat d'informations accumulées dans mon subconscient pendant les cours d'histoire quand j'étais enfant. J'étais sûre de n'avoir jamais entendu parler d'un personnage nommé John l'Écossais. Ce n'est qu'après avoir achevé le pèlerinage que j'entrepris des recherches à son sujet. L'information fut difficile à obtenir, mais je découvris d'après deux textes obscurs que ce John l'Écossais avait existé, et qu'il était moine, précepteur à la cour de Charlemagne. J'ai trouvé aussi une référence concernant un Maure géant qui avait lutté à mains nues contre Roland, le chevalier loyal de Charlemagne. Celui-ci s'était fait connaître en tuant le géant. Mais le récit de sa mort, lorsqu'il fut tué en protégeant, à l'arrière-garde, la retraite de l'armée de Charlemagne à Roncevaux, le rendit encore plus célèbre. Roland avait, paraît-il, saccagé la ville de Pampelune sans l'autorisation de Charlemagne. Le cor que Roland a sonné pour appeler à l'aide avait pour nom oliphant.

Ce rêve visionnaire narré par John l'Écossais tournoyait dans ma tête tandis que je marchais. Qu'est-ce qui était réel? Qui était Mike Flowers? Était-ce pour cela que tant de gens suivaient le Chemin? Était-ce une leçon d'histoire intérieure du moi autant qu'une expérience physique?

Lorsque j'arrivai au refuge suivant, à Los Arcos, j'étais épuisée. Il est resté dans ma mémoire comme le « refuge du massage des pieds », car un homme y massait les pieds gratuitement. Il disait qu'il comprenait l'importance des pieds, non seulement à cause de leur fatigue et de leurs souffrances, mais parce que l'énergie des lignes de force du Chemin pénétrait grâce aux méridiens des pieds le système énergétique du corps. C'est ce qui donnait au pèlerin un sentiment d'accomplissement. Cet homme affirmait qu'il atteignait lui-même à une conscience supérieure à travers les énergies qu'il recevait de ces massages. Il avait accompli le pèlerinage maintes fois et comprenait ce que les pèlerins motivés éprouvaient.

Quand je lui racontai ce qui m'était arrivé, il hocha la tête sans surprise et me conseilla de ne pas douter de ma santé mentale mais de continuer la marche en laissant se manifester ce qui se présentait. Tout s'éclaircirait à la fin, m'affirmait-il. Ma conversation avec cet homme me fut précieuse. Selon lui, beaucoup de pèlerins avaient vécu des expériences similaires dans la mesure où ils étaient réceptifs à la réalité d'autres dimensions. Nous avons discuté sur la nature de l'identité spirituelle – qui nous étions et qui nous aurions pu être – et sur la possibilité d'autres dimensions de la réalité qui seraient le produit de l'énergie souterraine que nous foulons durant la marche. Il ajouta que le Chemin testait la capacité d'aimer du pèlerin. Les anciens l'utilisaient pour équilibrer le masculin et le féminin.

– Quand le yin et le yang se rencontrent, on obtient la compréhension divine de qui nous sommes dans chaque dimension, dit-il. A propos des pieds, les anciens marchaient sans chaussures car ils savaient qu'ils trouveraient la connaissance de l'âme par la plante des pieds.

L'âme à travers les pieds ! Il continua à expliquer la guérison par la réflexologie qui utilisait la pression sur les points des méridiens dans la plante des pieds, libérant ainsi l'énergie et la mémoire bloquées. Quand l'énergie était libérée, la santé revenait.

– On pourrait prétendre, dit ce masseur, que la santé consiste aussi à connaître ses souvenirs.

Je commençais à comprendre. J'étais devenue une marcheuse spirituelle.

8

Je passai une nuit paisible au refuge. A mon réveil, j'aperçus un couple qui conversait avec animation. Nous nous présentâmes. La femme s'appelait Ali. Elle dit qu'elle était de San Salvador. Pour le pèlerinage, elle était vêtue d'une combinaison-pantalon Gucci, portait une mallette de cosmétiques en cuir et était chaussée de tennis à doubles semelles achetées dans une boutique de mode. Ses cheveux et ses yeux étaient noirs. Elle portait une autre mallette pour ses bigoudis et, en bandoulière sur son épaule, un sac très chic et très cher. Elle était aussi amusante que sa garde-robe. Elle était accompagnée d'un petit homme râblé qu'elle me présenta sous le nom de Carlos.

– Carlos m'a invitée pour une randonnée en Espagne avec lui, dit-elle. C'est sa conception d'une promenade tranquille autour du manoir...

Carlos ricana. Il était basque et ses mouvements vifs et nerveux m'indiquaient qu'il était rebelle.

– Elle ne comprend pas parce qu'elle ne veut pas comprendre.

Ali, exaspérée, leva les mains dans un geste dramatique.

Ils avaient été amants vingt-cinq ans plus tôt. Mais Carlos mit enceinte une autre jeune femme qu'il épousa. Il était toujours amoureux d'Ali. Plusieurs années plus tard, il l'invita en Espagne. Je ne crois pas qu'ils savaient ce qu'ils faisaient sur le Chemin, mais ils n'étaient pas les seuls. Ils m'amusaient et m'irritaient à la fois. Carlos était déterminé à achever sérieusement le pèlerinage par la seule force de sa volonté. Ali faisait souvent signe à l'autobus quand elle était fatiguée, comme je l'appris plus tard. Bien qu'elle ait marché longtemps avant de prendre le bus, dans ses tennis mode à doubles semelles, elle n'avait jamais d'ampoules. Carlos prétendait que c'était parce qu'elle était frivole. Elle répondait qu'elle avait seulement de la chance.

Nous nous sommes mis à marcher ensemble. Nous ne nous perdions pas de vue et ne parlions que de temps en temps. D'habitude, nous nous retrouvions à la fin d'une randonnée de vingt-cinq kilomètres au refuge de la bourgade. Carlos ressemblait à un randonneur de montagne bronzé, avec son short, ses bottines et ses chaussettes rouges. Il marchait à grands pas autoritaires sur ses jambes arquées, avec son bâton. Ali ne transpirait jamais, même lorsqu'elle ne prenait pas le bus.

Au bout de quelques jours, elle admit qu'elle appartenait à une famille de riches diplomates et qu'elle habitait la San Fernando Valley à Los Angeles.

Carlos prononçait peu de mots, le plus souvent : « Non », « non », « non » à ce que nous faisions. Ali se plaignait presque tout le temps mais elle compensait ses récriminations par son humour dévastateur sur la manière dont elle était gâtée et quelle impression elle devait faire avec ses bigoudis et sa mallette de cosmétiques dignes d'une diva, dans un refuge où l'on trouvait à peine le confort minimum. Carlos roulait de gros yeux et installait son sac de couchage pour Ali.

Je suppose qu'ils représentaient le divertissement que je m'étais créé dans un environnement où je n'avais que mon bâton avec qui dialoguer.

Ainsi, quand Ali prenait le bus parce qu'elle était fatiguée, Carlos me demandait galamment s'il pouvait m'être utile. Nous avons traversé ensemble Torres del Rio, Viana, Navarrete, Logrono et Najera, sur une distance d'environ cinquante kilomètres.

Dans plusieurs villes, la presse tenta de m'accoster. Carlos s'interposait. Les journaux espagnols n'avaient rien à publier en dehors des premières photos. Je ne parlais à aucun journaliste. Bientôt, les villageois me protégèrent aussi. Cachée derrière un arbre, je les voyais indiquer aux reporters la direction opposée. Carlos s'amusait à être le gardien de ma vie privée et j'appréciais son concours.

A Santo Domingo, au-delà de Najera, Ali se froissa un muscle et fut forcée de demeurer dans un refuge pendant plusieurs jours, tandis que Carlos, aussi déterminé que moi, continuait à marcher, un peu devant moi.

Toutes les heures, je me mis à observer de grosses vis le long de la route. Je me demandai si cela signifiait qu'il me manquait une case.

A présent, environ dix jours après le début de la randonnée, je m'étais habituée à la douleur en me penchant sur mon bâton pour soulager la pression sur mon pied droit. J'avais rencontré de nombreux étrangers du monde entier, et j'essayais de supporter avec sérénité les changements de climat. J'avais ma provision d'homéopathie que j'offrais aux gens du refuge qui souffraient de maux divers. Je priais pour ne pas interrompre mon pèlerinage en me foulant la cheville ou avec un spasme musculaire. Dans la plaine, la température pouvait monter jusqu'à quarante degrés. Les collines étant plus fraîches, elle diminuait parfois de moitié dans la même journée. Je voulus enlever ma veste et mon pantalon en Goretex, mais j'y renonçai.

A la fin de chaque journée, je dînais avec Ali et Carlos, et quelquefois de nouveaux amis, de salade et de pain. Nous buvions du vin. Nous trouvions souvent un petit restaurant non loin du refuge. Parfois, quand je les avais perdus, j'arrivais dans un village et, ne parlant pas le castillan, j'errais pendant plusieurs kilomètres avant de trouver un refuge. Les Irlandaises, soit me précédaient de plusieurs jours, soit se trouvaient derrière moi. Elles s'enquéraient de mes problèmes avec la presse. Je leur répondais que je me débrouillais.

Un matin, dans un refuge entre Santo Domingo et Belorado, j'étais en train de prendre une douche froide (il n'y avait jamais d'eau chaude) quand soudain deux photographes tirèrent le rideau et commencèrent à prendre des photos. D'une gifle, je jetai par terre leurs appareils et me couvris avec le rideau en leur criant de partir. Ils s'en allèrent. J'étais consciente que mon problème avec la presse allait empirer. Je ne voulais pas perturber les autres pèlerins avec l'excès de bagages que j'apportais avec ma vie. Mais, si je tenais une conférence de presse quelque part, cela encouragerait encore plus les journalistes. La presse espagnole était sans pitié. Une célébrité n'avait rien à faire sur le Chemin de Compostelle. Les journalistes ne comprenaient rien. Je pouvais comprendre les motifs de leur curiosité, mais ils étaient insensibles à ce que leur pèlerinage historique représentait pour les pèlerins.

Les autres voyageurs avaient été choqués par la scène de la douche. Mortifiée, je m'habillai rapidement et sortis par la porte de derrière.

Je marchai seule jusqu'au moment où j'ai aperçu la flèche jaune qui m'a menée sur une route nationale encombrée, tracée au-dessus de l'ancien Chemin. Trois énormes camions m'ont dépassée. Leur souffle a failli me renverser. Mon nouveau chapeau s'envola au milieu du flot de la circulation. Je ne réussis pas à le récupérer et comme je ne pouvais pas m'arrêter pour tirer mon vieux chapeau de mon sac à dos, je continuai à marcher avec le soleil qui me tapait sur la figure.

J'essayai de contrôler mes pensées afin de maîtriser ma peur. Je pensai à des films, à de nouvelles idées pour mon spectacle, à un sac en cuir que je désirais acheter à Madrid, aux hommes avec qui j'avais eu une relation, à ma fille. Je ne savais pas quel jour nous étions. Au moins, j'avais perdu cinq kilos en dix jours. Quel régime !

Je me souvins alors de ce qu'un grand maître m'avait dit au sujet de la peur :

– Ne te demande jamais de quoi tu as peur – au lieu de cela, demande-toi ce qui te concerne, toi. Une pensée de peur écartée reviendra, car les énergies reviennent vers l'émetteur. Toute énergie opère une boucle jusqu'à ce qu'elle retourne à sa source. Une pensée inquiète reviendra à sa source. A ce moment-là, demande-toi ce qui te préoccupe.

J'essayai. Je me dis : « Pourquoi suis-je si inquiète en ce moment précis ? » J'obtins immédiatement la réponse. J'avais peur d'être blessée ou tuée par un camion. Combien de fois n'avais-je pas dit en plaisantant : « Ecoutez, si je suis écrasée par un camion... » Ces paroles se réaliseraient peut-être sur une route espagnole. Peu de pèlerins subissaient ce sort, mais c'était possible.

Alors, je me suis souvenue. Je m'étais conditionnée à l'idée de mourir avant de commencer ce pèlerinage.

Oui, j'étais prête à mourir s'il le fallait.

Une autre pensée me vint à l'esprit : même si je quittais ce corps, je ne serais pas morte. Je me rappelai le rêve ou la vision survenus sous l'arbre. Il semblait que j'avais existé dans un autre espace-temps avec un corps différent.

Je commençais à me détendre tout en marchant péniblement. La mort serait-elle simplement un passage dans un autre état de conscience jusqu'à ce que je décide de renaître? C'était ce que je croyais. A présent, j'étais en situation de vérifier cette croyance sur le plan émotionnel.

Je me détendis davantage. Le soleil me brûlait toujours le visage mais les camions ne semblaient pas rouler si près.

Je songeai que nous nous identifions bien plus à notre corps physique qu'à notre esprit. Mais je savais du fond de mon cœur que j'étais fondamentalement un être spirituel ayant une expérience physique, plutôt qu'un être physique dont l'âme disparaîtrait à la mort du corps. Je le *savais*.

Pourquoi, avant ma quête spirituelle, m'étais-je considérée comme essentiellement physique? La religion chrétienne me l'avait enseigné. Ma religion affirmait que les âmes n'avaient pas d'existence antérieure. Si mon âme n'existait pas indépendamment de ma forme corporelle, alors ma destinée humaine était enfermée dans mon identité physique. J'étais née dans la matière et je luttais pour devenir spirituelle, plutôt que de reconnaître ma véritable nature qui consistait à être essentiellement une âme qui avait choisi l'expérience du corps physique.

Ma religion précisait aussi qu'à la Résurrection des morts, mon corps et mon âme seraient réunis. Je n'étais donc pas complète sans ma partie physique. Le christianisme déclarait que tout était issu de la matière. Ainsi, je cultivais non seulement un attachement à mon corps – mon identité – mais aux objets matériels autour de moi, qui me procuraient un statut social et l'estime d'un monde matérialiste.

Je comprenais comment le matérialisme était né. Il provenait d'une dissociation avec l'âme et l'esprit. Il causait une léthargie spirituelle chez les êtres humains parce que nous entretenons plus de rapports avec notre environnement matériel qu'avec les besoins de notre âme.

Même nos systèmes politiques se sont développés à partir d'une dissociation avec l'esprit. Les gouvernements déterminent le flux des richesses matérielles, des biens et des services, ainsi que le contrôle de la nature, en manipulant nos ressources de survie et en prenant des décisions qui devraient relever d'une reconnaissance spirituelle autant que de raisons économiques. L'économie et la manipulation des ressources matérielles (l'argent, la Bourse, les obligations, les banques, les compagnies d'assurances, etc.) indiquent que l'on prend une part importante dans les décisions d'une civilisation et d'une société. Tout est déterminé selon ce que l'on a acquis et si l'on est un gros consommateur. Le matérialisme a manipulé et déterminé l'échelle de valeurs. Ce qui influe sur le comportement des êtres humains.

Il n'y a rien de répréhensible à accumuler les richesses ou les objets matériels, ni à être conscient de son corps, tant que cela ne devient pas une obsession qui élimine la reconnaissance de l'esprit. Lorsque notre identité est uniquement investie dans le corps et les acquisitions, cela influe sur notre comportement et nos décisions.

La crainte de perdre sa richesse et son corps est le résultat de cette dissociation avec l'âme. Et cette crainte freine l'épanouissement de l'âme, qui est la raison de notre présence sur cette terre. Quand l'âme pénètre dans la matière et s'identifie plus avec elle qu'à l'état originel de l'être, cela donne le matérialisme. L'Église a renforcé cette identification en déclarant qu'il n'y a pas de préexistence de l'âme.

Me voici traînant les pieds sur une route nationale, exemple du matérialisme ambiant, souhaitant un sac à dos plus léger dans un pays pauvre mais disposant de plus d'églises proportionnellement au nombre d'habitant qu'aucun autre. Je voulais une révélation sur le Chemin ? J'en recevais une magnifique !

9

J'avais parcouru presque la moitié du chemin à travers l'Espagne du Nord. J'avais fraternisé avec beaucoup de gens, je m'étais habituée à dormir dans les refuges et à me mêler aux autres pèlerins. Je marchais dans la paix et la contemplation. Mon corps souffrait mais je m'y accoutumais.

Mes « visions-rêves » devenaient plus intenses, parfois au point de me faire peur tellement elles semblaient réelles. En outre, je n'appréciais pas l'impression de n'avoir pas su reconnaître une vérité.

En raison du harcèlement constant des journalistes, non seulement ma vie privée était envahie, mais j'étais pressée par le temps. J'avais décidé de marcher dans Compostelle le jour de notre Fête nationale de l'Indépendance, le 4 juillet. J'aurais parcouru le Chemin en trente jours. Cela signifiait pour moi ma libération en tant qu'Américaine. J'avais oublié le conseil de mon amie Anne-Marie de prendre quarante jours pour le pèlerinage. Je m'étais égarée dans le labyrinthe de ma fuite devant les médias et le fait que je ne voulais pas troubler la concentration et la motivation des autres pèlerins. J'avais conscience aussi de suivre ma pulsion perfectionniste.

Je n avais pas encore atteint le village abandonné de Foncebadon où se trouvait la meute de chiens sauvages. Cette perspective effrayante demeurait présente à mon esprit. Ce qui est arrivé ensuite était peut-être un signe précurseur.

Je marchais seule sur le sentier qui montait dans les collines. Ali, Carlos et les Irlandaises étaient, soit à des journées devant moi, soit à des journées derrière. J'étais plongée dans une vision concernant ma vie antérieure. Je me trouvais dans la peau de la jeune fille maure, John l'Écossais m'accompagnait et commentait les images qui me passaient par la tête.

J'étais à la cour de Charlemagne comme avant, étudiant d'anciens manuscrits sur la position des étoiles et leur influence sur le comportement humain. Charlemagne était le genre d'homme capable de croire qu'il devrait pouvoir contrôler les étoiles autant que la marée. C'était un conquérant insatiable au nom du pape. Ensemble, ils domineraient le destin du monde connu, au nom du Christ.

John l'Écossais était avec nous. Soudain, il me dit :

– Tu souhaitais connaître l'identité de Charlemagne à l'époque dans laquelle tu vis actuellement ?

– Oui, répondis-je.

– Observe son visage. Tu verras.

J'analysai attentivement le visage du conquérant. Il se mit à changer jusqu'à prendre les traits d'un homme que je connaissais. J'étais stupéfaite. Ensuite, une autre voix domina cette vision de son visage tandis qu'il me parlait.

– Oui, dit-il. Tu me revois.

C'étaient le visage et la voix d'Olof Palme, le Premier ministre suédois avec qui j'avais eu une liaison et que j'avais décrit dans mon livre *Out on a Limb* sous le couvert d'un homme politique anglais du parti travailliste.

– J'ai toujours voulu changer le monde pour l'améliorer, dit-il doucement. J'ai essayé de le faire à l'époque où je te connaissais. Tu m'as inspiré, mais je ne pouvais t'accepter pleinement, dans ces deux vies, à cause des tabous sociaux.

Palme était marié quand j'étais avec lui. Il a été assassiné par un tueur inconnu, dont la rumeur prétendait qu'il s'agissait d'un trafiquant d'armes musulman. Palme était un homme d'une intelligence extraordinaire qui a contribué à aplanir les problèmes entre le Nord et le Sud. Ce socialiste soutenait à fond la démocratie. S'il avait vécu, il aurait tenté de fondre le système économique socialiste avec les principes démocratiques. Il avait épousé une communiste et pensait que le capitalisme sévissait au détriment du peuple mais que le communisme étouffait la liberté de pensée. Sensible et flexible, il croyait qu'un seul individu pouvait accomplir de grands changements. La dernière fois que je l'ai vu, il m'avait dit qu'à la fin de son mandat de Premier ministre, il aimerait assumer la fonction de secrétaire général de l'Onu. Il aurait alors vécu à New York et nous aurions pu nous voir plus souvent. Je ne l'ai jamais poussé au mariage car je n'étais pas sûre que c'était mon choix, mais j'étais certaine que c'était un homme avec qui j'aurais pu être heureuse. Nous nous accordions sur tous les plans. Il me satisfaisait intellectuellement et émotionnellement. Pourtant, il y avait un problème. Il était parano en ce qui concernait la presse et préoccupé par notre relation qui, si elle était connue, pouvait affaiblir son pouvoir. Le karma a voulu qu'il soit assassiné pendant que je tournais au Pérou le film pour la télévision *Out on a Limb*. Au moment où il a été tué, je rencontrai un *brojo* (un voyant) péruvien qui tenait entre les mains des objets qui facilitaient sa clairvoyance. L'un d'eux était une petite étoile en argent. L'étoile glissa entre ses doigts. Le *brojo* me regarda et dit :

– Quelqu'un d'important pour vous vient de trépasser.

Je n'avais pas la moindre idée de la personne à qui il faisait allusion jusqu'à ce que je lise un journal péruvien le lendemain, avec tous les détails.

A présent, assise auprès de l'immense cheminée, je dévisageai Charlemagne pendant que nous discutions astrologie. Un frisson me parcourut.

John l'Écossais me parla.

– Vois-tu, mon enfant, vous avez tous les deux une destinée commune. S'il avait reconnu votre relation publiquement dans l'une ou l'autre incarnation, il aurait peut-être pu réaliser ses désirs. Le courage personnel quand on aime quelqu'un est aussi valable que le courage d'effectuer des changements dans la société. Dans ta connaissance de toi-même, tu as la discipline et le courage d'accomplir la tâche que tu t'es fixée. Il n'a pas pu comprendre clairement que tout commence à partir de soi. Sans la connaissance de soi et ce que cela implique, on ne peut adhérer à la destinée que l'on s'est choisie. La destinée d'Olof Palme était de réunir les États socialistes après leur implosion. Il aurait pu aligner un nouveau paradigme qui aurait allié le socialisme et la liberté. Il aurait pu réunir les pays socialistes qui désiraient la liberté individuelle selon un modèle qui aurait pu fonctionner.

Je dévisageai le roi et faillis éclater de rire. C'était trop impressionnant et pourtant plausible. Palme avait eu d'autres maîtresses avant moi, sans en être perturbé. Mais elles n'étaient pas intéressées par les recherches spirituelles. Il s'agissait de pures intellectuelles. Mes tendances spirituelles auraient pu le ridiculiser, c'est pourquoi il essayait de mettre en doute mes croyances et mes questions tout en y trouvant un certain sens. Cette ambiguïté me plaisait mais je sentais qu'il fallait l'avertir qu'il ignorait une vérité essentielle, ce qui un jour causerait sa perte. Je ne sais que maintenant ce que je voulais lui transmettre. A la mort de Palme, j'ai été ravagée.

– La plus grande forme d'amour, dit le religieux, est d'admettre les conséquences qui découlent du libre arbitre de l'autre.

Je le comprenais au plan intellectuel, mais l'absorber émotionnellement était une autre affaire.

La vision-rêve s'évanouit pendant que je marchais. Je songeais au synchronisme du monde. On pouvait l'observer partout ; chaque instant nous rappelle la loi de la cause et de l'effet. Je me souvenais que Palme, qui croyait en la séparation de l'Église et de l'État, avait fait supprimer la prière du matin dans les écoles suédoises. Ce faisant, il avait éliminé une méditation collective pour les enfants suédois. Il était athée. S'était-il aliéné la source divine et en avait-il subi les conséquences ?

S'il avait fait confiance aux médias suédois concernant sa vie privée et ses confusions, est-ce qu'ils l'auraient toléré ? Je continuais à marcher, plongée dans mes pensées, sans même être consciente que j'avançais, quand tout à coup, je me suis trouvée face à une équipe de télévision et une femme reporter.

Elle me fourra un micro sous le nez.

J'étais si choquée que j'en eus le souffle coupé. Puis, mon choc se transforma en rage. Je jetai la caméra à terre et me retournai contre la femme.

– Que diable voulez-vous ? criai-je.

– Voulez-vous dire à nos téléspectateurs, dit-elle imperturbable, si vous êtes devenue catholique ? Sinon, pourquoi suivez-vous ce pèlerinage ?

J'étais comme un animal à l'hallali. Je lui lançai des injures que même mon père, doué en ce genre d'exercice, n'aurait pu inventer. Je terminai ma litanie de gros mots avec :

– Je vous déteste ainsi que tout ce que vous représentez !

La femme recula en retenant ses larmes. Ensuite, je m'en pris à l'équipe de télévision qui essayait d'enregistrer à tout prix mon éclat. Je m'élançai vers eux. Ils s'enfuirent en courant. Cela ne m'arrêta pas. J'étais impitoyable. Je ramassai un gros caillou et les chassai en haut de la montagne, avec mon sac qui battait sur mon dos. La femme reporter, en bas de la colline, regardait, la bouche ouverte, les joues inondées de larmes.

L'équipe, composée de trois hommes, continuait à se sauver. Moi, je continuais à les poursuivre. J'étais une adolescente enragée de quinze ans, qui se rebellait contre la grande brute de l'école. Quand j'arrivai, essoufflée, au sommet de la colline, ils m'attendaient. Je savais que la caméra tournait mais je m'en fichais. Je jetai la pierre sur elle, en espérant l'endommager. Elle le fut en effet, mais entre-temps, ils avaient alerté une autre équipe qui filmait la scène.

Il y avait un village en haut de la colline. Le propriétaire de l'unique hôtel avait tout vu. Il chassa les équipes de télé et m'aida à entrer dans l'hôtel. Mes poumons me faisaient mal, le manque d'oxygène m'asphyxiait. J'étais incapable de m'exprimer. Il me conduisit dans une chambre privée, me servit du thé, et, après s'être assuré que j'allais bien, me laissa seule.

Que s'était-il passé ? La femme reporter faisait son métier de journaliste embusqué, mais je crois qu'elle était aussi personnellement curieuse de savoir pourquoi je suivais le Chemin. En y réfléchissant, elle me fit de la peine. Je l'avais bouleversée avec mes insultes même si elle ne comprenait que la moitié de ce que je disais. Je me souvenais de ses yeux remplis de larmes quand j'avais hurlé : « Je vous déteste ! »

Les hommes, au contraire, s'étaient moqués de moi tandis que je les poursuivais. C'était ce qui m'avait motivée. Ils voyaient que j'avais deux fois leur âge et que je portais un sac à dos. Ils savaient aussi que si j'étais en colère, le reportage n'en serait que meilleur. Je me doutais bien que ce seraient eux qui riraient les derniers, comme c'est en général le cas avec la presse, mais je ne pouvais pas me retenir. J'irais au tapis plutôt que de supporter l'injustice. C'est ce que j'ai fait. Le film est passé à la télé le soir même mais j'ai été ravie de voir qu'il était flou.

Je me couchai sur le lit dans la petite chambre. Au bout de quelques minutes, John l'Écossais me rejoignit.

– Eh bien, ma petite, les chiens de la presse ont bien testé ton caractère, n'est-ce pas?

– Oui, répondis-je en boudant.

– Et tu as montré les dents en retour?

– Oui, sans doute.

– Ecoute, tu parlais leur langage, non?

– Vraiment?

– Certainement, répondit-il. Ils ont grondé férocement pour tester ta vérité, comme les chiens. Tu as peur des chiens du prochain village, non?

– Oui.

– Eh bien, souviens-toi de la manière dont tu 'as géré la version humaine. Les chiens ont des sensibilités qu'ils croient que les humains partagent. Lorsque tu grognes, tu parles leur langage. Quand ils grognent, ils t'invitent à les comprendre. Les chiens n'aiment pas la fourberie. C'est la même chose avec les journalistes. Tous te mordront les talons jusqu'à ce tu fasses face à toi-même. Si ta peur se combine avec la méchanceté, tu seras dévorée.

– Est-ce que j'ai montré de la méchanceté envers ces journalistes?

– Non, répondit-il. Tu étais en rage parce qu'ils étaient injustes. L'injustice indique un déséquilibre dans la vie. Cette femme a été blessée mais elle doit apprendre à poser ses questions d'une manière plus juste. Toi, mon enfant, tu devrais contrôler ta colère. Mais tu as du sang écossais et irlandais, n'est-ce pas?

– Oui, répondis-je en souriant intérieurement.

– Eh bien, les Écossais et les Irlandais sont des maîtres en matière de douleurs. Ils se mettent en colère parce qu'ils sentent profondément les choses. Je t'expliquerai plus tard leur caractère. Pour le moment, je vais te raconter l'histoire des chiens et de la presse le long du Chemin.

– Que voulez-vous dire? demandai-je en sachant qu'il allait me choquer.

– Les âmes que tu as rencontrées aujourd'hui étaient des soldats d'autrefois qui pourchassaient et torturaient les gens jusqu'à les « presser » de devenir chrétiens. Ils se sont concentrés sur les Maures qu'ils traitaient d'infidèles. Ils font la même chose aujourd'hui. Certains d'entre eux, les plus cruels et les plus sadiques, sont revenus sous la forme de chiens; cette réincarnation est extrêmement rare. Ils reviennent hanter les mêmes sites pour tester l'honnêteté des humains. C'est ce que tu trouveras à Foncebadon. Tu as appris aujourd'hui comment les traiter.

Je ne comprenais pas comment grogner contre eux me protégerait.

– Tu verras en y arrivant. Les chiens et les journalistes se considèrent comme les maîtres de la vérité.

Je soupirai et me tus.

– Encore une chose, dit John. Ton intérêt pour l'islam vient de ton expérience sur le Chemin en tant que jeune femme maure. C'est une perspective d'où tu peux examiner ton souci à l'égard du fondamentalisme islamique d'aujourd'hui.

Le religieux disparut de ma vision-rêve. Je restai étendue sur mon lit à rêver de chiens enragés, d'une presse enragée et d'un fondamentalisme enragé : chrétien, islamiste ou autre.

Les haines ancestrales entre religions représentaient pour moi une source de profond chagrin. J'avais lu les prophéties qui annonçaient que l'islam causerait une grande destruction dans le monde. De

Nostradamus à Edgar Cayce et ses interprétations de l'Apocalypse, l'islam tel que nous le connaissons actuellement était associé à la fin du monde. Était-ce possible ? Et comment ?

Est-ce que les Albanais musulmans se retourneraient contre l'Occident dans un avenir proche ? Et puisque la religion musulmane croissait plus rapidement que les autres, y aurait-il une révolution silencieuse parmi les pays chrétiens ? Les musulmans s'uniraient-ils contre Israël qui aurait besoin de notre aide, risquant ainsi de déclencher l'Armageddon ? L'Iran allait-il s'allier à la Chine et utiliser des armes nucléaires contre l'Occident ?

Chaque religion avait sa croisade. Allions-nous faire l'expérience de la croisade musulmane d'une manière qui marquerait la fin du monde tel que nous le connaissons ?

Toute la souffrance du monde était-elle la conséquence d'un karma provoqué par l'espèce humaine ? C'est pour cela que nous avons besoin de contempler l'intérieur de nous-mêmes afin de découvrir notre véritable identité. Quand nous nous connaissons, nous percevons nos joies et nos douleurs. Lorsque nous l'acceptons, nous pouvons relâcher les liens du karma et avancer.

Tandis que je réfléchissais sur ces questions, étendue sur mon lit, John apparut et me fit un discours sur le karma :

« L'accomplissement et la résolution de la loi du karma est la suivante :

« Une goutte de joie a tant de pouvoir qu'elle transforme le souci en compassion, c'est-à-dire que tu as la capacité de donner de toi-même en sachant que tout ce que tu donneras te sera rendu, en améliorant ainsi ta vie et celle de ton entourage. Une goutte de joie, ajoutée au courage, devient de la passion qui te per-

101

mettra d'agir efficacement, sans penser. Une goutte de joie ajoutée à de la discipline devient de l'empathie, la capacité de savoir que tes émotions sont réelles ainsi que celles qui t'environnent. Cela restaure ta conscience de Dieu. Lorsque tu seras consciente du système énergétique de toutes choses, tu comprendras que Dieu est partout. Cela consiste dans l'unification des chakras supérieurs et inférieurs, où tu unis le masculin et le féminin en toi – le dieu et la déesse.

« La loi du karma n'est pas le retour aux événements passés mais un retour sur ton âme. Ta capacité de mouvement est restaurée. Ton incapacité à te mouvoir est la définition même de la douleur. Quand tu te vides de la douleur, tu es capable de recevoir le prochain niveau de joie.

« Le Saint Graal en est un exemple. Il ressemble à n'importe quelle coupe sauf que sa vraie valeur réside dans le vide. La joie arrive lorsque la coupe est vidée. Ainsi, la joie qui provient des souffrances le long du Chemin est la découverte de ton âme... L'humanité a donc le devoir de rechercher la joie. »

John disparut et je tentai d'enregistrer de mon mieux ce qu'il venait de dire.

Je me recouchai et réfléchis à ses paroles.

Je sentais que le courage d'avancer était localisé dans mon cœur. Je le ressentais physiquement. Et le courage me permettait d'avancer en entrant au-dedans de moi. Si j'avais la détermination de me retirer à l'intérieur de moi-même, je pouvais transformer la colère en courage et par là même avancer.

Je pensais que je me trouvais dans une maison qui brûlait. La seule façon d'en sortir était de traverser les flammes. J'expérimentais ma fuite à travers le feu. La capacité de se sentir concerné était une émotion primordiale. Chaque fois que je me sentais concernée et que je n'agissais pas, j'étais en colère. Quand j'avais la détermination de rentrer en moi, je pouvais transformer la colère en courage et ainsi aller de l'avant.

Les gens en voiture le long de la route qui criaient « Ultreya » me donnaient le courage de rentrer en moi. Ainsi, la vraie discipline n'était pas tant une concentration de la volonté à l'exclusion du reste, mais plutôt la capacité de regarder en moi pour recevoir ce qui m'appartenait déjà – la JOIE.

J'avais eu l'intention de poursuivre l'équipe de télévision en haut de la montagne. Tel avait été l'unique objet de ma volonté furieuse.

Symboliquement, ce qui se trouve sur la montagne s'effritera un jour dans la vallée. J'avais besoin de devenir une vallée afin de recevoir ce qui m'appartenait. En d'autres termes, m'abandonner – m'abandonner à la connaissance qu'en moi se trouvaient l'équilibre du masculin et du féminin et la capacité de trouver la joie dans ce qui survenait. Plus on se connaît, mieux on peut se gérer.

Nos dirigeants politiques en sont des exemples. Chacun d'entre eux souffre d'un manque de connaissance de soi. C'est pourquoi ils sont si nombreux à agir de manière destructrice. Ils sont en effet autodestructeurs et destructeurs des peuples qu'ils dirigent – Clinton, Milošević, Osama bin Laden, les mollahs iraniens, les dirigeants chinois, etc. Ceux que j'ai rencontrés et qui ont passé du temps, isolés, en prison – Gandhi, Nelson Mandela – avaient résolu bon nombre de leurs conflits intérieurs parce qu'ils avaient été contraints à l'isolement. Ils ont affirmé que leur incarcération avait représenté la période la plus importante de leur vie. Aujourd'hui, peu d'hommes politiques prennent le temps d'une recherche intérieure, ce qui explique l'état du monde actuel, au bord du désastre. Il est évident que les membres ordinaires de la société n'ont pas la possibilité de se livrer à cette recherche intérieure parce qu'ils sont occupés à rivaliser entre eux pour leur survie, à cause du matérialisme. Les populations du monde paraissent engluées dans une routine de survie, ignorant les joies de l'évolution qui ne viendront que lorsqu'ils prendront le temps de se connaître.

Le poète Yeats a dit : « Le seul voyage qu'il vaut la peine de faire est le voyage intérieur. » Si mon voyage intérieur révélait que j'avais été des personnes différentes à des époques différentes, que cela soit ainsi. Au moins, j'aurais les moyens d'évaluer comment vivre le destin qui m'attendait.

10

En parvenant à la moitié du Chemin, je remarquai que les refuges étaient moins pleins. Les gens commençaient-ils à renoncer ?

Ils étaient plus durs, moins respectueux les uns envers les autres et plus agressifs.

Trois hommes ivres me suivirent à la sortie d'un café où j'avais acheté du jus d'orange. Je me retournai en les dévisageant. Ils s'en allèrent. Quelques jeunes filles coururent après moi pour des autographes. Je signai et me remis tranquillement en route.

Je n'entendais, dans les rues des villes que je traversais, que les bruits discordants des voitures, des conversations et des querelles.

Mes mains étaient rouges et crevassées, mon visage pelait sous les coups de soleil et mon sac à dos pesait une tonne. Oui, il était préférable de marcher sans rien emporter.

Lorsque je me nourrissais le matin, j'avais faim toute la journée. Alors, je n'absorbais des yaourts, des fruits et des noix que l'après-midi. De toute façon, les volets des maisons et des magasins étaient fermés à l'heure de la sieste.

Dans chaque village, les fontaines étaient toujours accueillantes. Je remplissais ma gourde d'eau fraîche en sachant que j'en aurais assez jusqu'à la prochaine fontaine.

Ali prenait plus souvent le bus et Carlos devenait difficile. A un moment donné, je demandai à Ali d'emporter mon sac à dos jusqu'au prochain village. Je me mis à trébucher, décentrée. J'avais perdu mon équilibre sans poids sur le dos. Je ne contrôlais plus ma démarche et, curieusement, il m'était difficile de continuer à marcher. Soulagée du poids qui me pesait, je me sentais libre d'éprouver de la colère envers certains de mes proches. Il y avait des conflits non résolus, comme ceux avec ma famille. Je me permis d'en examiner quelques-uns. Je me rendis compte alors que j'avais contribué moi-même à ces conflits. Chaque personne avait été un miroir et un maître pour m'aider à mieux me connaître. C'était le rôle que les membres d'une même famille jouaient les uns envers les autres. J'étais convaincue que chaque membre *avait choisi de naître* dans une famille pour servir les autres.

A mon retour, j'essaierais de m'en souvenir lorsque surgiraient des disputes accompagnées d'émotions et de frustrations incommunicables.

Tout au long de la route, les fermiers se plaignaient, découragés, de la baisse du prix du blé comme de l'absence de pluie.

Je pouvais sentir le champ énergétique du Chemin tandis que je marchais de Belorado à Villafranca. Les papillons voletaient autour de moi, violet, rose, blanc et noir, orange et jaune. Je songeais qu'ils avaient commencé par ramper sous forme de chenilles avant de voler libres sous des couleurs exquises. Joyeux, ils contribuaient à la beauté de ceux qu'ils charmaient. Je me sentais encore chenille. Quand deviendrais-je papillon ?

Je marchais plus de trente kilomètres par jour. Je me sentais envahie par une magie douce, presque trop douce pour être identifiée. La presse semblait lasse de me poursuivre. Un photographe prit une photo de moi en train de suspendre mon linge à sécher, puis s'en alla.

Tout en avançant, j'imaginai une nouvelle mise en scène pour mon spectacle ; je visualisai une nouvelle clôture pour mon ranch et réfléchis à des moyens nouveaux pour financer des films fondés sur les relations entre les personnages, si difficiles à monter. Je dépenserais de l'argent pour refaire ma chambre à coucher et peut-être monter un petit show sur Broadway. Mais un nouveau monde à l'intérieur de moi demeurait sous-jacent à ces pensées concernant ma vie réelle.

Un homme en fauteuil roulant me dépassa à toute vitesse. Il était paralysé et dépendait de la solidarité des gens dans les refuges pour subvenir à ses besoins. Certains s'en occupaient et d'autres restaient indifférents. Je me demandai quel était son karma.

Je tombai sur une femme nommée Baby Consuelo que j'avais rencontrée autrefois au Brésil. Chanteuse, elle chantait en marchant. Elle était bien plus rapide que moi. Je ne l'ai revue que le dernier jour du pèlerinage.

En arrivant à San Juan de Ortega, je compris pourquoi la presse s'était faite rare le long du Chemin.

Deux cents journalistes me guettaient devant l'église. Ali et Carlos m'attendaient aussi. Carlos vint à ma rencontre pour me dire que le prêtre avait proposé aux journalistes une interview avec moi en échange d'une contribution pour sa paroisse. Je demandai à Carlos de refuser et de leur dire que je trouvais ce procédé déplaisant. Il obtempéra et les fit décamper ainsi que le prêtre.

Le curé m'offrit de la soupe à l'ail dont je ne voulus pas. Je continuai ma route.

Un peu en dehors de la ville, je m'étendis sous un arbre et m'endormis, mon chapeau sur la figure.

John l'Écossais m'apparut. Il me révéla que j'avais connu certains de ces prêtres à l'époque où j'étais la fille maure. En ce temps-là, ils étaient des aubergistes. Ils allaient et venaient sur le Chemin en rapportant des ragots. Ils fournissaient des repas et des divertissements aux gens. Ils vendaient des souvenirs religieux aux pèlerins en leur assurant qu'ils les protégeraient. Ceux-ci payaient des sommes exorbitantes pour certaines reliques qui ne valaient rien, n'osant pas les refuser. Aujourd'hui, ces aubergistes étaient des prêtres.

Il ajouta que j'avais rencontré Ali et Carlos sur le Chemin. Ali avait été une Arabe convertie au christianisme. Elle avait perdu ses parents pendant la guerre, et John l'avait recueillie. Je l'avais aidée à gagner la France où elle était devenue la pupille de Carlos. Il lui donna un lopin de terre et tomba amoureux d'elle. Mais la religion chrétienne lui interdisait de consommer cette relation. Ils restèrent fidèles l'un à l'autre et comme nous revenons tous sur les lieux qui nous ont marqués dans le passé, ils se sont retrouvés dans cette vie.

John continua :

– Nous avons ici un thème récurrent que tu as dû remarquer. Le thème des amants qui ne s'aiment pas suffisamment pour surmonter de profonds préjugés qui les empêchent de se réaliser... cela te concerne aussi.

C'était vrai pour Charlemagne et pour Palme.

John me raconta ensuite que l'homme dans le fauteuil roulant souffrait de folie chronique. Infirme dans chacune de ses vies, il avait fait le vœu de revivre son infirmité à travers les siècles. Le religieux ajouta qu'il constituait la version chrétienne d'un moine bouddhiste qui croyait que la souffrance était la voie vers Dieu et qu'elle inspirait la compassion des autres. Cette répétition me faisait penser à la situation du dalaï-lama qui revenait toujours sur terre pour faire la même chose, comme de lire et relire un livre important.

Carlos avait souhaité la réunification des chemins sacrés en France et en Espagne sous la protection des templiers.

Anna aurait été ma tutrice lorsque j'étais très jeune, dans la terre des Maures, et elle jouait le même rôle pour moi maintenant.

Mme de Brill, cette horrible femme de Saint-Jean-Pied-de-Port, était ce que John appelait une « mangeuse de péché ».

– Elle mange les péchés des pèlerins pour que le Chemin leur soit plus aisé. Elle est la gardienne de la frontière entre la France et l'Espagne. Et cela, depuis des siècles. C'est la raison de son attitude négative. Elle assume les péchés des autres.

Il termina en m'annonçant que je ferais une mauvaise rencontre dans un refuge, d'ici quelques jours. Je devrais réagir comme il me plairait. Il m'en expliquerait plus tard la raison.

Je constatais que John l'Écossais était mon guide le long du Chemin. Il avait fait la même chose pour moi dans le passé. Je n'en comprenais pas les raisons. Je devais les apprendre plus tard.

A Burgos, un homme m'offrit un nouveau bâton de pèlerin, cerclé d'argent en haut et en bas. J'hésitai. Je ne voulais pas renoncer à mon vieux compagnon.

L'homme me conduisit à un refuge bien aménagé, avec une salle à manger. Il avait préparé un repas pour les pèlerins arrivés ce jour-là. A présent, j'étais méfiante. Je ne voulais pas être impolie, mais je me demandais où résidait l'entourloupe.

Carlos et Ali me rejoignirent. Nous nous assîmes. La soupe était plus grasse que d'habitude, le pain rassis et le vin acide. Il y avait des sardines que nous fûmes obligés de sortir avec des couteaux parce qu'il n'y avait pas de fourchettes. Je me demandais s'il s'agissait d'une plaisanterie.

L'homme rôdait autour de nous en nous regardant déjeuner. Je ne pouvais plus rien avaler. Je dis finalement que je ne mangeais pas beaucoup durant la journée. Il fronça les sourcils.

Il fallait que je me décide au sujet du nouveau bâton. Le mien ressemblait au bâton crochu d'une sorcière. Mais il m'était devenu si familier que c'était comme de marcher avec un bon grand-père. Mais je savais que le nouveau conviendrait mieux à mon dos car il était solide et bien droit. Ali n'utilisait pas de bâton et Carlos en avait un.

Je me levai de table et je marchai avec les deux bâtons pendant un moment. Je pris enfin une décision. Je donnerais mon vieux bâton au curé de la ville précédente.

J'entendis du bruit et regardai au-dehors. Un groupe de journalistes s'était rassemblé autour du prêtre en question. Je sortis et lui présentai mon vieux bâton. Il le tourna dans tous les sens, le courba, éclata de rire et le jeta. J'étais furieuse qu'il montre si peu de respect envers mon vieil ami. Carlos s'approcha de moi et murmura :

– Il n'est pas honnête.

Je ne m'arrêtai ni pour des photos ni pour répondre aux questions, abandonnant mon vieux compagnon. C'était dur. Je m'attachais à beaucoup de choses en me demandant si j'en aurais besoin un jour. Je me souvins alors d'un songe que j'avais eu autrefois. J'étais la conservatrice des manuscrits anciens dans une grande bibliothèque. Je prêtais souvent les manuscrits aux gens qui voulaient les étudier. Quand le directeur de la bibliothèque me demanda un rapport détaillé de mon inventaire, la plupart des manuscrits avaient disparu. Il était très en colère. Je me suis jurée que cela ne se reproduirait plus.

Tout en marchant avec mon nouveau bâton, je réfléchissais à mon rapport aux objets et à ce que je ressentirais si j'étais une réfugiée qui ne possédait rien. D'un côté, je me sentirais libérée et, d'un autre côté, je souffrirais de la privation. La vie sur terre se situait entre les deux – la voie du milieu, comme l'appelaient les bouddhistes, en comparant le concept à la corde d'une harpe. Si elle est trop tendue, on ne peut pas s'en servir et si elle est trop lâche, elle pend. La tension qui produit le son parfait se trouve au milieu.

Je portais toujours mon chapeau car les racines de mes cheveux décolorés se voyaient à présent et j'en étais gênée.

Ali et Carlos se disputaient sans cesse à propos de sa femme. Ils parlaient en même temps... au sujet de sa femme trop grosse : personne n'apprécie les femmes grosses. Carlos était autoritaire avec Ali et elle, irritable. Ali nous avoua qu'elle avait oublié sa montre au refuge. Elle y retourna en courant pour la récupérer. Elle nous rejoignit plus tard en disant que sa montre n'avait pas quitté son sac.

D'énormes gouttes de pluie se mirent à tomber. J'aperçus une cabine téléphonique isolée. J'appelai Anne-Marie en Californie. Elle dit qu'elle avait passé mon message enregistré à ma fille, Sachi. Sachi avait pleuré parce qu'elle ne comprenait pas pourquoi j'accomplissais cette marche. Sachi ne m'a jamais comprise, ni moi ni ma quête spirituelle. Eh bien, qui pourrait vraiment comprendre ?

Une bourrasque de pluie survint. J'enfilai mon poncho jaune. Le Chemin était maintenant raviné d'ornières et de cailloux qui glissaient sous mes pieds.

La pluie et le vent accentuaient l'odeur de sueur et de poussière. Mon sac oscillait de droite à gauche sous la bourrasque. Je titubais, mais j'étais contente de me sentir en sécurité sous mon poncho imperméable. Je glissai au pied des collines en craignant de manquer les flèches jaunes. Ali portait un poncho Gucci, tandis que ses tennis Maxfield à doubles semelles accumulaient de la boue jusqu'aux chevilles. Carlos marchait en avant à grandes enjambées avec sa détermination basque, qui me faisait rire. Aucun de nous ne fit de chute. Il n'y aurait pas de journalistes pendant un bon moment.

Quelques heures plus tard, nous sommes tombés sur un petit bar rempli d'hommes qui fumaient et commentaient en hurlant les courses de vélo omniprésentes à la télé. Je ne savais pas où nous étions. La patronne nous a offert du café. Ali jeta un coup d'œil dans sa tasse et poussa un cri. Une mouche y flottait. Elle était horrifiée. Carlos lui ordonna de se taire. Il enleva la mouche et la déposa sur le comptoir. La patronne, mortifiée, donna à Ali une autre tasse.

Il s'ensuivit une conversation entre Carlos et Ali qui discutaient des gens « communs ». Je n'arrivai pas discerner qui était commun. Carlos parlait d'un ton péremptoire et Ali semblait vexée. Carlos déclara qu'il ne supportait pas le comportement des gens communs. Je me lançai dans une description de mon voyage en Chine en 1973. A cette époque, les élites comme Carlos étaient envoyées aux champs pour apprendre la merveille et la gloire de cultiver des tomates. Il répliqua :

– Eh bien, il y quelque chose de positif dans tout...

– Eh bien, interrompit Ali, je n'ai pas fait ce chemin pour une promenade aussi épuisante et, par-dessus le marché, pour trouver une mouche dans mon café !

– Non, dit Carlos, tu as été négligente de ne pas remarquer la mouche plus tôt dans ton café.

– Non, dit Ali, c'est la patronne qui a été négligente de ne pas la voir quand elle m'a servi le café.

Je ne m'y retrouvais plus. La mouche était sur le comptoir et Ali avait une nouvelle tasse de café.

Carlos dit alors :

– Tu bois le café avec la mouche dedans et tu l'avales. C'est tout.

– Non, dit-elle. Je ne l'avale pas. C'est la différence entre toi et moi.

Puis, elle rota, dit que c'était la faute de la mouche. Elle se sentait mal.

La mouche gisait déjà dans la poubelle, mais cela ne les arrêta pas.

– J'ai gelé dans le refuge, la nuit dernière, mais j'aurais préféré crever plutôt que de me couvrir avec la couverture sur la couchette.

– Oui, et alors ? dit Carlos, je t'ai donné mon sac de couchage. Tu l'as refusé. Alors, tu as eu froid.

– Tout est sale autour de moi ! continua Ali.

– Ce n'est pas si terrible, dit Carlos. Tu dois apprendre à devenir comme les gens et ne pas être si gâtée.

Ni l'un ni l'autre n'appréciait les gens « communs », mais c'était sans doute un bon prétexte pour se quereller.

La discussion sur la mouche et les gens « communs » continua pendant une heure. Ils auraient peut-être mieux fait de se marier. Je pointai silencieusement un doigt sur eux tandis que les trois autres pointaient sur moi.

Je sortis du café. La bourrasque s'était apaisée. Le calme qui lui succédait ne pouvait laisser imaginer qu'elle avait eu lieu.

J'avais maintenant une demi-douzaine d'ampoules à chaque pied. Il fallait que je les perce et les soigne.

J'avais besoin d'une douche chaude. J'avais besoin d'être seule dans une chambre. J'avais besoin de me laver les cheveux. J'avais besoin de me voir dans un miroir. J'avais besoin de contrôler mes bandes et de tester si elles enregistraient quelque chose. J'ai trouvé un hôtel à Burgos et j'ai pris une chambre. Ali et Carlos, déterminés à appartenir aux gens « communs », disaient qu'ils trouveraient un refuge. Je me souvins de la remarque que l'écrivain de théâtre Clifford Odets me fit avant de mourir :

– Vous n'avez pas idée combien de plaisir il y a dans les choses aussi petites que l'œil d'une mouche.

Dans le luxe d'une chambre d'hôtel, je lavai mes vêtements à l'eau chaude, pris une longue douche brûlante avec du vrai savon, me lavai les cheveux avec un vrai shampooing. J'utilisai des toilettes privées et soignai mes ampoules. Elles s'étaient aggravées parce que mon poids ne portait plus comme avant sur mes pieds, avec mon nouveau bâton. C'est alors que j'eus une pensée enrichissante : la sagesse est représentée par ce sur quoi nous sommes posés – nos pieds. C'est pourquoi les saints qui se trouvaient encore dans la première phase de l'illumination lavaient les pieds des autres. Les pieds puisent leur énergie de la sagesse de la terre et nous mettent en contact avec notre propre équilibre. Est-ce que les saints montaient dans un char à bœufs durant le pèlerinage ? Est-ce que l'autobus représentait la version moderne du char à bœufs ?

Je songeai que j'étais née sous le signe du Taureau, signe de terre. Un astrologue m'avait dit que les Taureau aimaient courir avec de lourds bracelets autour de leurs chevilles parce qu'ils sont des gens de la terre, sédentaires. Le Taureau a une sagesse terrienne tout en étant sensible à l'amour, à la beauté et à la sensualité, parce qu'il est gouverné par la planète Vénus. Je suis née dans cette vie, sous le signe du Taureau, à la fin avril, pour me plonger dans l'amour physique et équilibrer les énergies du masculin et du féminin. Je voulais expérimenter l'identité primordiale après m'être incarnée sur terre. J'ai choisi une vie physique difficile parce que je suis Taureau. Et en outre, j'étais un Taureau mi-écossais mi-irlandais. John l'Écossais avait affirmé que nous étions les maîtres des Douleurs. Que voulait-il dire ? Nous sommes, bien sûr, impétueux et fous. Est-ce pour nous préserver de la douleur ? Et sur quoi est fondée la douleur ? Je ne devais pas confondre douleur et dépression. Ce sont des sensations très différentes.

Je me prélassai dans mon lit douillet avec des draps propres, et ne tardai pas à m'endormir. John l'Écossais ne vint pas me rendre visite. En revanche, j'eus mon rêve récurrent au sujet du gorille. Un gorille monstrueux me pourchassait. Il me poursuivait autour de la terre, par monts et par vaux, jusqu'à ce que je me trouve enfin au bord de l'abîme. Soit il me fallait sauter au-dessus du précipice pour lui échapper, soit je devais me retourner et l'affronter. Je choisis de l'affronter. Je le regardai droit dans les yeux et dis :

– Que dois-je faire maintenant ?

– Je ne sais pas, répondit-il. C'est *ton* rêve.

La vie était-elle comme mon gorille ? Ne me disait-elle pas :

– C'est ton rêve. Fais-en ce que tu veux.

11

J'ai traversé à pied les cités de San Juan de Ortega, de Burgos, Castrojeriz, Frómista, Carrión de Los Condes jusqu'à Sahagún, parfois avec d'autres pèlerins, parfois seule. Je m'arrêtais pour penser et me rafraîchir auprès de chaque fontaine que je trouvais dans les villages. Comme par un fait exprès, John l'Écossais ne m'est pas apparu. J'étais seule avec ma propre intuition. Ali et Carlos suivaient le Chemin loin de moi, à leur rythme. Je me demandais quand je leur dirais adieu pour de bon. J'ai toujours un problème pour dire adieu aux gens. Je culpabilise à l'idée de les abandonner.

Nous avons tous notre propre chemin à faire, mais une grande part de la réussite consiste justement à dépasser les autres et à les laisser derrière soi. Je remarquai que les pèlerins riches avançaient plus vite parce qu'ils étaient motivés par leur but. Ils ne *devenaient* pas le Chemin, ni le sol sous leurs pieds, ni la campagne, ni le ciel, ni les fleurs, ni le blé, ni les nuages. Ils ne se perdaient jamais dans le moment présent.

Quelques pèlerins me disaient qu'ils devinaient que j'habitais dans les refuges en voyant sécher mes vêtements sur la corde à linge.

Un médecin soigna mes ampoules. Je lui donnai un billet de mille pesetas mais il ne voulut pas l'accepter. Il s'en alla et revint avec un bouquet de fleurs en me disant :

– Quand une personne marche pour Dieu, on ne lui demande pas d'argent. Au contraire, elle doit être récompensée.

J'examinai un obélisque en bois sculpté à la sortie d'un village. On y avait gravé ULTREYA.

La cité de Burgos débordait d'histoire et d'art. A l'entrée, en dehors des remparts, on pouvait visiter les ruines de l'hôpital de San Juan Evangelista. A côté se trouvait un monastère bénédictin, silencieux et réconfortant. Après avoir traversé les douves sur un petit pont-levis, je me trouvai dans une cité médiévale. Ici, dans l'imposante cathédrale des treizième et quatorzième siècles, repose le tombeau du Cid légendaire. Je me réjouissais dans cette magnifique structure gothique, pensant que je m'y trouvais sans doute bien des siècles auparavant !

Entre Burgos et Castrojeriz, je traversai un territoire connu pour être l'une des étapes les plus dures du Chemin. Je grimpai des collines, traversant une rivière qui irriguait les fermes des Corrales de la Nuez. Plus haut, j'arrivai à la première *meseta*, ces plateaux espagnols arides et pauvres semblables à un désert de champs de céréales.

Subitement, j'atteignis mon prochain niveau de tolérance.

Une nuée de moustiques et d'autres insectes fonça sur moi. Ma moustiquaire était dans mon sac à dos. J'eus à peine le temps de la retirer que mon visage était devenu une proie vivante. Les moustiques grouillaient dans mes cheveux, mes yeux, mes oreilles, sur mes mains, et s'attaquaient à mes jambières et à mes chaussures.

Cela me rappela la nuit que j'avais passée, couchée dans le sarcophage de la chambre du Roi dans la Grande Pyramide de Gizeh. La légende disait que si l'on se couchait dans le sarcophage, les questions que l'on avait besoin de clarifier et de résoudre se résolvaient. L'un de mes points faibles était les moustiques. Je ne les supportais pas. Quand j'étais en compagnie d'autres personnes, ils ne s'en prenaient qu'à moi. J'attirais ce dont j'avais peur. Cette nuit-là, tandis que j'étais étendue dans le sarcophage, je fus soudain couverte de moustiques. Ils venaient de nulle part. Je méditai pour qu'ils disparaissent. Mais comme mon comportement envers eux était fondé sur la peur, ils ne partaient pas. Je n'avais pas encore appris à me demander pourquoi j'étais concernée et pourquoi j'avais peur. Ce fut une nuit horrible, un peu soulagée par une bougie à la citronnelle que j'avais apportée.

Aujourd'hui, j'éprouvai le même problème. Les moustiques voletaient autour de moi tandis que j'attachais solidement la moustiquaire autour de ma tête – Dieu merci, aucun ne se trouvait piégé à l'intérieur. Je marchai plus vite. Je pensai à nouveau : pourquoi suis-je concernée ? Parce que je ne voulais pas mourir sous les piqûres de moustiques. Je savais que c'était absurde. Mais je n'aimais pas l'idée qu'ils sucent mon sang. Je ris de ma propre bêtise. Cela venait peut-être de mon expérience avec un vampire dans une vie antérieure.

Un peu plus loin, je rencontrai deux Allemands. Les moustiques ne les harcelaient pas. Ils me dirent qu'ils avaient parcouru en marchant quarante-huit kilomètres ce jour-là. L'un d'eux allait être père et avait résolu d'épouser la mère de son enfant sur le Chemin. S'il ne l'épousait pas et qu'un accident arrive à la mère, l'État prendrait l'enfant et le placerait dans un orphelinat, selon la loi allemande. L'autre Allemand avait tellement de relations sexuelles, tant avec les hommes qu'avec les femmes, qu'il accomplissait le pèlerinage pour découvrir son équilibre.

Nous avons parlé d'engagement, et d'ampoules, et de la supériorité de la laine sur le coton et la capoline. A la longue, mes moustiques s'envolèrent pour chercher de la nourriture ailleurs.

Environ trente kilomètres plus loin, j'arrivai à Frómista, où la prophétie de John s'accomplit.

Le refuge était plutôt agréable avec une cour à l'arrière et une belle corde à linge. Je lavai deux T-shirts et les mis à sécher pour la nuit. Ensuite, je nettoyai soigneusement mes chaussures et les plaçai sous la couchette que je m'étais choisie. Il n'y avait personne d'autre que moi au refuge.

Soudain, une femme arriva en hurlant parce qu'il y avait du linge sur la corde. Elle arracha mes T-shirts, les jeta à terre et se mit à m'insulter pour des raisons que je ne comprenais pas. Je ne savais pas qui elle était, ni si elle était attachée au refuge d'une manière ou d'une autre. Je ramassai mes vêtements mouillés, les pliai, et les posai sur mon lit en m'asseyant. Elle se planta devant moi en criant encore. Je ne savais pas quoi faire. Un couple entra. La femme les invectiva comme elle l'avait fait pour moi. Ils firent aussitôt demi-tour et repartirent. J'écoutai la femme délirer. Ses yeux étaient ceux d'un chien fou. Je me levai, en essayant de comprendre. Elle se retourna, se mit à hurler contre les murs et s'en alla.

Tremblant de tous mes membres, je commençai à pleurer. Je me sentais complètement seule dans un monde fou. Je pouvais faire face à bien des problèmes lorsque je comprenais ce qui se passait. Mais la folie n'est pas logique. J'essuyai mes larmes. Je devais me ressaisir. Je me déshabillai, me couvris de ma serviette et partis à la recherche de la douche. L'eau froide me ferait du bien. Tandis que mes tensions s'évacuaient sous l'eau froide, le rideau de la douche s'ouvrit brusquement et un photographe fit irruption. Il me bombarda de photos avec son flash. Je fis tomber son appareil dans l'eau et lui criai de ficher le camp dans mon mauvais espagnol. D'autres photographes m'attendaient dehors. Je les accablai d'injures jusqu'à ce qu'ils décampent. Je me séchai en frissonnant, m'habillai et sortis du refuge. Il n'y avait personne dehors. Avais-je tout imaginé? Je portais une paire de tongs légères, mais j'avais si mal aux pieds que je pouvais à peine bouger. Mes bras pesaient comme du plomb. Portant la ceinture où je gardais mes cartes de crédit autour de ma taille, je descendis au village. Je trouvai une cabine téléphonique et téléphonai aux amis qui habitaient dans mon ranch au Nouveau-Mexique. En écoutant leurs voix, je me sentis d'abord en sécurité. Ensuite, j'entendis la télévision qui braillait dans le fond. La voix excitée d'un reporter commentait une poursuite en voitures sur les périphériques de Los Angeles. Quelqu'un avait assassiné sa femme et tentait de fuir au Mexique. C'était O. J. Simpson. Sa femme et son amie avaient été égorgées. Le monde réel? Lequel était le plus fou – le refuge espagnol ou la Cité des Anges?

Le lendemain matin, je marchai seule sur le plateau de la meseta. Ali et Carlos n'étaient pas arrivés à Frómista. La piste était parsemée de cailloux qui roulaient sous mes pieds. Ma principale préoccupation consistait à manœuvrer autour de deux cailloux qui s'étaient introduits dans mes chaussures. Je m'amusais à les faire rouler avec mes doigts de pied pour éviter d'autres ampoules. Le vent se leva. Je m'arrêtai, ôtai les graviers de mes chaussures, enfonçai mon chapeau sur ma tête et me remis en marche. En un rien de temps, d'autres cailloux se glissèrent dans mes chaussures, Dieu seul sait comment! Le vent fort me soufflait de la poussière au visage.

J'avais des amis aux États-Unis qui s'intéressaient à la tribu des Indiens Hopi. Les Hopi avaient prédit qu'à partir de la dernière décennie du vingtième siècle et au début du troisième millénaire, il serait nécessaire à l'homme « de s'attacher à un arbre ». En d'autres termes, les grands vents se lèveraient. Ils ajoutaient que le climat serait imprévisible et « purifierait beaucoup de choses avec du vent et de la pluie ». Ils disaient aussi que nous devrions devenir autonomes et retourner à la culture de notre nourriture. Pardessus tout, il était nécessaire de se retirer à l'intérieur de soi afin de comprendre sur un plan spirituel ce qui se passe dans le monde.

Leurs prophéties correspondent à celles des Maya. En observant les perturbations climatiques, elles me semblent très justes.

En marchant, je vis de nombreuses cigognes qui avaient bâti leurs nids au sommet de grands arbres et dans les clochers des églises. Des meutes de chiens se rassemblaient au-dessous. Le vent cessa subitement.

Abeilles, papillons, oiseaux et quelques moustiques s'élevèrent au-dessus des champs et dans le ciel. Un hérisson gisait mort, écrasé pendant qu'il traversait la route. A cause du changement d'équilibre provoqué par mon nouveau bâton – que je n'avais pas encore baptisé –, j'étais pleine de courbatures dans le haut du corps. Mon ange Ariel ne s'était pas manifesté depuis des semaines. John l'Écossais semblait avoir remplacé l'ange à la senteur de vanille. Il était absent lui aussi. Je marchai comme en transe, une méditation en mouvement sur ma vie et notre époque. Je n'arrivais pas à émerger de cette préoccupation sur moi-même. Je n'avais que moi. Mes jambes commençaient à me faire sérieusement souffrir. Je comprenais pourquoi les gens abandonnaient. A ce point du pèlerinage, c'était fréquent. J'apercevais des chaussures, des pantalons, des chemises et des livres jetés le long de la route. Je me demandai si le Chemin était quelquefois nettoyé.

Chaque fois qu'il faisait si chaud que je ne pouvais plus avancer, une brise se levait pour me rafraîchir. Un don de Dieu, sans doute. Pour arriver à Compostelle le 4 juillet, il me faudrait accélérer mon rythme. C'est ce que je fis. J'étais vraiment la fille de ma mère. Lorsqu'elle s'était fixé une tâche, rien ne pouvait la faire dévier. Je la regardais se mettre dans un état de transe déterminé jusqu'à ce qu'elle ait accompli son travail malgré les diversions. Je me mis à l'imiter vers l'âge de dix ans. Devenue adulte, je singeais sa détermination au point de la choquer, assez ironiquement. Elle commentait souvent à voix haute mon énergie et mon refus d'abandonner. Secouant la tête, elle se demandait de qui je tenais ça !

Un randonneur belge m'arrêta pour me dire que j'avais été dans une vie antérieure sa sœur aînée. C'était probablement vrai. Il portait une batte de base-ball et une sorte de gourdin qui paralyserait, disait-il, les chiens ou les gens qui l'attaqueraient. Il avait envie de parler de Dieu, de l'univers et du sens de la vie. Moi, non. J'avais besoin de silence. Je lui dis qu'il valait mieux marcher tranquillement, seul. Il me demanda de le bénir. Cela me mit très mal à l'aise. Je n'aimais pas être considérée comme un gourou New Age. Pour cette raison, j'avais cessé de diriger mes séminaires itinérants. Trop de gens me cédaient leur pouvoir. Ce n'était pas de *moi* qu'ils tiraient quelque chose mais d'*eux-mêmes*. Quand les gens ont commencé à me suivre de ville en ville, je sus qu'il était temps d'arrêter. Je ne savais rien de plus que les autres. J'étais incapable d'expliquer pourquoi j'accomplissais ce pèlerinage en dehors du désir de faire un voyage intérieur.

Je suivais un sentier de montagne quand soudain je débouchai sur un cul-de-sac. La piste n'allait pas plus loin. Je ne trouvai plus de flèches jaunes. J'étais de nouveau perdue. Je rebroussai chemin pendant cinq heures de marche, jusqu'à ce que j'arrive à un pont défoncé. Je ne savais pas quel chemin prendre. J'entendis un bruit de voitures au loin et me dirigeai dans cette direction. Je marchai sur une route déserte pendant quelques heures à la recherche des flèches jaunes. Il se mit à pleuvoir des cordes. J'enfilai ma veste en Goretex et mon poncho en plastique. Le temps s'était rafraîchi.

Une voiture stoppa.

– Flèches pas correctes, me dit le conducteur en mauvais anglais. Le pont défoncé depuis des mois. Personne réparer.

– Par où dois-je aller? demandai-je.

Il pointa du doigt vers l'ouest, le long de la route.

Il me cria : « *Ultreya!* » en démarrant à fond de train.

Je serrai mon poncho contre moi et continuai à marcher. J'aperçus enfin une flèche jaune qui pointait vers les collines. Je la suivis. Je manquais d'eau et ne savais pas comment recueillir l'eau de pluie. Je rencontrai bientôt des baraquements qui ressemblaient à ceux d'un camp militaire. Deux soldats m'arrêtèrent.

– Interdit! dit l'un d'eux. Interdit aller plus loin. Les flèches datent d'il y a deux ans.

Oh! mon Dieu! A présent j'étais vraiment paumée. Je retournai sur mes pas. J'avais très soif. Je marchais depuis six heures du matin. Il était maintenant six heures du soir.

Deux jeunes filles s'approchèrent de moi avec une bouteille d'eau et un bouquet de fleurs. Je vis une maison de poupée nichée dans les bois. Elles sourirent et me tendirent les fleurs.

– Nous avons vu votre photo – *Ultreya!*

Elles firent un pas en arrière et m'indiquèrent la route. Je la suivis. Il fallait que je trouve un refuge avant la nuit. Quand les filles eurent disparu, je m'arrêtai et m'accroupis pour faire pipi. J'étais au-dessus d'une fourmilière. Les fourmis grimpèrent le long de mes jambes et me piquèrent. Je versai sur elles l'eau si précieuse et les noyai. Je repris ma route.

Je refusais d'avoir peur. Je m'imaginai à un dîner à New York. Ensuite, je nageai dans l'océan Pacifique. Je me trouvai dans une caravane entre deux décors, sur le tournage d'un film. Je dansai sur scène. J'inventai une suite floue d'activités diverses.

J'aperçus quatre nouvelles vis sur la route. J'étais vraiment perdue. Je pensai à mon père qui aurait bien ri devant les quatre vis sur le chemin.

Tu t'es vraiment plantée, cette fois! aurait-il dit.

Subitement, je le sentis près de moi. Son énergie était là. Ensuite, à ses côtés, je vis ma mère. Ils ne disaient rien. Ils me réconfortaient par leur présence. Je sentis qu'ils me propulsaient sur un sentier presque sombre. Ils marchaient à côté de moi. J'eus l'impression qu'ils se retrouvaient pour la première fois depuis leur mort. J'étais persuadée qu'ils étaient venus ensemble, de l'autre côté du miroir, pour me guider. Mes yeux se remplirent de larmes. Tout à coup, je découvris une route. J'étais encore envahie par mes émotions devant mes parents. Je voulais leur parler, leur demander comment ils allaient, à quoi ressemblait l'autre côté. A ce moment, un camion s'arrêta. Le chauffeur proposa de m'emmener. Je le remerciai mais je refusai. Il hocha la tête, paraissant comprendre. Il m'indiqua la direction du prochain village et me dit qu'il y avait une flèche correcte un peu plus loin sur la route. Je me concentrai de nouveau sur l'image de mes parents, mais ils avaient disparu. Ils me venaient en aide quand ils étaient en vie et ils avaient fait la même chose aujourd'hui.

Je trouvai la flèche et continuai à marcher pendant deux heures en songeant combien mes parents s'étaient dévoués pour leurs enfants et leur avaient sacrifié leurs rêves. Je me demandai ce que serait devenue ma vie sans leur abnégation. C'est alors que, reconnaissante, j'atteignis un village et un refuge.

Je m'endormis sans dîner, ne buvant que de l'eau, avec le souvenir de mes parents. Ils me regardaient en souriant.

12

Le lendemain fut tout à fait différent. Chaque village que je traversais se fondait dans le suivant. Je me trouvais quelque part dans la province de Palencia. Je marchais de nouveau seule.

Une pluie battante remplaça le soleil chaud. Des arcs-en-ciel doubles apparurent au-dessus de moi, m'encourageant à avancer plus vite. Je traversai leurs couleurs tandis qu'elles touchaient le sol. Je respirai le violet, le rouge, l'orange et le jaune. Inspirant profondément l'air, je le propulsai dans les cellules de mon cerveau et l'expirai ensuite. Mon cerveau et ma conscience devinrent l'arc-en-ciel. Je songeai à la manière dont ses couleurs correspondaient aux couleurs du système énergétique du corps humain. Peu d'Occidentaux comprennent ou sont au courant du fonctionnement des chakras en nous. Ils sont au nombre de sept. Chacun représente un centre d'énergie qui commande notre équilibre et notre conscience. Les hindous et les bouddhistes sont très conscients de l'importance des chakras. Chacun possède une couleur associée aux fonctions de la vie. Par exemple, le chakra localisé à la base de la colonne vertébrale détermine ce que nous expérimentons sous forme de fuite ou de lutte. C'est la couleur rouge. En remontant légèrement, le centre d'énergie suivant est orange. Il concerne la créativité et la sexualité. Le troisième, jaune, gère le pouvoir personnel. Le quatrième, vert, est le chakra du cœur, à travers lequel nous expérimentons l'amour. Le cinquième, bleu, situé dans la gorge, concerne l'expression individuelle. Le sixième, indigo, est le chakra de la vision. Et le septième, violet, le centre spirituel au sommet de la tête.

Nous sommes chacun notre propre arc-en-ciel. Dans les cercles spirituels sophistiqués, les gens pratiquent leurs chakras chaque matin parce qu'ils comprennent que c'est nécessaire pour leur bien-être. Une mauvaise humeur peut résulter d'un chakra déséquilibré. En méditant sur la couleur de son emplacement, nous pouvons transformer en positif l'énergie qui accompagne une mauvaise humeur.

J'inspirais profondément en visualisant chaque couleur de l'arc-en-ciel qui pénétrait mes chakras. Tout ce dont j'avais besoin était contenu dans ces couleurs. C'est ainsi que les moines bouddhistes atteignent à la béatitude.

Lentement, la douleur quitta mes jambes et mes pieds. Mes épaules se détendirent au point que je me mis à sautiller de joie. Mon sac à dos devint léger. Je marchai en posant d'abord la pointe des pieds, non les talons. Je me souvins d'avoir vu des lamas, dans l'Himalaya, dévaler les montagnes de cette façon. Ils touchaient la pente sur la pointe des pieds si légèrement qu'ils avaient l'air de flotter. J'ai vu des lamas s'immerger dans une eau glacée et, par la méditation, produire une telle chaleur dans leur corps que de la vapeur s'en élevait. Ils connaissaient le pouvoir de l'énergie visualisée, plus puissante que l'énergie physique. Elle informe le physique. Ils savaient que la conscience est énergie. C'est pourquoi la médecine tibétaine est si efficace. Elle active le *chi* [1](l'énergie vitale) dans chacun des chakras et ainsi guérit le corps.

Les arbres sur la montagne semblaient danser à la musique du vent. C'était mon concert favori. Un nuage porteur d'orage faisait tonner la percussion. Puis, les éclairs éclatèrent en cymbales et la pluie, qui résonnait comme violoncelles, violes et flûtes, m'enveloppa de sa musique céleste. J'ouvris ma veste et me débarrassai de mon poncho. Je ne voulais pas me protéger contre mon orchestre.

Je sentis l'ozone de l'air, je savais qu'il annonçait d'autres éclairs.

Parfaitement heureuse, je faisais partie de ce qui m'entourait. J'étendis les bras, accueillant, épanouie, les gouttes de pluie, et me mis à tourner, à tournoyer et à virevolter sans fin. Les timbales du tonnerre grondèrent au rythme de mes tours jusqu'à ce que le coup de cymbale de l'éclair retentisse et interrompe soudain ma danse. Levant les yeux, je vis le soleil percer au-dessus des nuages. Je sentis sa chaleur sur mes yeux. Et lorsque je contemplai la réflexion du soleil sous la pluie, j'aperçus deux autres arcs-en-ciel au-dessus de l'orage. Ensuite, la percussion des nuages éclaircit le ciel, la brise des violons chassa le drame de la musique d'eau et il n'y eut plus que le silence. Les arbres se balançaient encore et saluaient comme s'ils avaient apprécié le spectacle musical auquel ils avaient participé. J'avais l'impression d'en avoir été le chef d'orchestre.

Le *refugio* à la fin d'une journée aussi magique se révéla dégoûtant, comme si Dieu me rappelait qu'il existait toujours une ambiguïté.

Détritus, poussière, saleté recouvraient le sol. Une odeur répugnante montait du dortoir. Je ne savais où je me trouvais mais cela n'avait pas d'importance. Je

1. Terme et concept chinois.

posai mon sac de couchage sur une couchette mordil-
lée par les rats, l'ouvris et m'y glissai en prenant soin
de ne toucher à rien. Je n'entendais plus les ronflements et les toussotements des pèlerins autour de
moi, eux-mêmes trop épuisés pour remarquer leur
environnement. Je me mouchai dans un précieux
bout de kleenex et le gardai auprès de moi car je
comptais l'utiliser aux toilettes le lendemain matin.
Un simple sac de plastique ou un morceau de papier
toilette prenait autant de valeur que l'or, lorsqu'on
apprend à porter le minimum. Je m'endormis au bruit
des rats détalant sur le parquet, en espérant qu'ils
n'allaient pas grimper le long de ma couchette.

J'ai rêvé cette nuit-là que j'étais montée au ciel qui
se trouvait dans un aéroport. Mes parents étaient
venus à ma rencontre. Mon père, tout droit, me regardait avec curiosité tandis que je descendais d'une
espèce de machine volante. Je cherchais ma mère des
yeux. Elle était recroquevillée contre les murs du ciel.
Je n'ai su interpréter ce rêve sur le moment, mais je
crois le comprendre aujourd'hui. Mon père avait vécu
sans suivre une voie définie mais il remarquait ce qui
se trouvait le long du chemin. Le temps n'avait jamais
beaucoup compté pour lui. C'est pourquoi il n'en faisait pas trop. Ma mère surveillait toujours le bout de
la route pour s'assurer que ses enfants étaient arrivés.
Mon père avait dit « Marche plus vite et rentre bien à
la maison. » J'étais plus proche des objectifs de ma
mère, mais j'essayais de rétablir l'équilibre entre mes
parents. Le processus, le chemin en lui-même en forment l'accomplissement.

Ali et Carlos arrivèrent tard dans la nuit. Ali, qui
avait des douleurs aux tibias, refusait de dormir dans
la saleté du refuge. Je me retournai sur ma couchette
et me rendormis.

Quand je me réveillai, Carlos balayait le dortoir. Ali le surveillait et avala encore un Advil. Elle suivait maintenant un régime à base d'Advil, de vin et de tranquillisants. Pourtant, elle n'avait toujours pas d'ampoules.

Une Anglaise se joignit à nous et déclara qu'elle devait rentrer en Angleterre pour venir en aide à son mari. Cela mena à une discussion sur l'infidélité conjugale. Elle dit qu'elle n'avait jamais trompé son mari. Je me tournai vers Carlos et lui demandai s'il avait été infidèle à sa femme. Il sourit et dit :

– Jamais en vingt-six ans.

Je lui demandai pourquoi il souriait.

– Parce que vous avez eu l'audace de poser cette question !

Ali leva les yeux au ciel. Elle ne le croyait pas. L'Anglaise poussa tout à coup un cri strident. Nous nous précipitâmes vers elle pour savoir ce qui n'allait pas.

– J'ai perdu mon alliance, dit-elle.

Je sentis la mauvaise odeur de mes vêtements et me promis de les brûler à la fin du voyage.

J'abordais maintenant la troisième semaine du voyage. La randonnée entre Carrión de los Condes et Sahagún était l'une des plus ardues, des plus impressionnantes et des plus monotones que j'aie faite.

Des étendues à perte de vue de champs de blé et de maïs recouvraient la plate meseta. Si je m'évanouissais dans un champ de blé ou de maïs qui m'arrivait jusqu'à la taille, personne ne me trouverait, à l'exception peut-être d'un autre pèlerin qui trébucherait sur cet obstacle.

Les cailloux invisibles et imprévisibles m'obligeaient à me souvenir des principes de psychologie du sport des athlètes olympiques. Avant toute chose, être détendu et en même temps vigilant. Cela nécessitait de faire appel aux disciplines orientales que je connaissais. Mon nouveau bâton de pèlerin était amical, mais je ne pouvais pas trop m'appuyer dessus car j'aurais été fouettée au visage par des épis. Mes épaules tendues me rappelaient que ma posture se dégradait avec l'âge – quant à mes pieds ? Ils auraient pu appartenir à Frankenstein, gonflés avec leurs durillons et leurs callosités, aussi durs que des sabots de chevaux.

J'avançais comme dans un rêve. Où étaient John l'Écossais ? Ariel ? Le bar du polo du Beverly Hills Hotel ? ! Je me suis traînée pendant dix heures de suite ce jour-là. J'acceptais graduellement qui j'étais en tant qu'être humain, car si je ne l'acceptais pas, je ne pourrais rien comprendre au reste du monde... pas vraiment. Moi... nous en tant qu'individus, étions la source du problème. Le monde serait plus heureux si chacun d'entre nous comprenait qui il est. Combien de fois me faudrait-il en prendre conscience ?

Mon amie Anna avait eu une relation avec un homme qui habitait au bord du plateau. Il vivait dans une maison avec un toit rouge, un restaurant et un bar. Elle m'assura qu'il m'accueillerait à bras ouverts et qu'il m'offrirait des sodas à l'orange et des sorbets.

Il s'appelait César et il avait été son amoureux pendant le Chemin. Il habitait avec son frère. Tous deux s'occupaient des pèlerins qui avaient pu traverser la meseta.

Anna s'était évanouie dans un champ de blé. Elle avait alors éprouvé une expérience d'*éveil* à nulle autre pareille. Elle raconta qu'elle croyait qu'elle allait mourir quand elle est tombée. Elle ne pouvait plus bouger et n'avait plus d'eau. Elle vit une lumière qu'elle interpréta comme divine. Alors, une voix lui commanda de se lever et de reprendre sa marche. Elle sentit que cette lumière irradiait un amour indescriptible.

Cela me fit penser à l'accident de voiture de mon père. Il était très malheureux et il avait trop bu. Il raconta qu'il se sentit sortir de son corps et voler à toute vitesse vers une brillante lumière blanche. Il ajouta que cette lumière lui inspirait tant d'amour qu'il désirait s'en approcher plus que tout au monde. C'était du pur amour. Ensuite, il se mit à penser aux gens qui avaient besoin de lui. Dès qu'il *pensa*, il retourna dans son corps, perclus de courbatures et de douleurs.

– Je sais que suis mort ce jour-là, dit-il. C'était si beau que je n'ai plus peur de la mort. Ce n'était pas mon heure, mais quand ça le sera, je reverrai cette lumière et cet amour m'envahira de nouveau.

Anna m'a décrit une expérience similaire. Bien sûr, j'avais souvent entendu parler des expériences NDE, ou Near Death Experience (celles des rescapés de la mort), presque toutes identiques, qui signalaient avoir retrouvé des parents et des êtres aimés qui étaient morts.

Était-ce ce que je recherchais ? Je n'ai jamais vu de lumière, mais j'ai eu des conversations avec des gens qui avaient quitté leur corps. J'étais capable d'accepter leur enseignement parce que j'avais entendu parler de cette lumière et de la continuité de l'âme. J'avais entendu Olaf Palme et John l'Écossais s'exprimer. Ils étaient réels – pas physiquement, mais ils avaient réellement existé. Où étaient-ils à présent ?

Après dix heures de marche à travers la meseta, sur le point de m'écrouler de fatigue, j'aperçus le toit rouge. César se tenait devant la maison, les bras grands ouverts, exactement comme Anna l'avait prédit. D'une manière mystérieuse, les gens qui habitaient le long du pèlerinage semblaient connaître la progression des pèlerins qui les intéressaient. Anna lui avait téléphoné et demandé de veiller sur moi. D'autres pèlerins en avance sur moi avaient dû le prévenir.

Je m'avançai vers lui en titubant. Il me donna un soda à l'orange et me fit entrer dans le restaurant. Il devait avoir trente-cinq ans. Il était grand, brun et très beau. Anna avait bon goût.

Le bar-restaurant était moderne, propre et accueillant.

– Venez à l'intérieur, me dit-il dans un anglais parfait. Tout ce que vous désirez est à vous. Et si vous avez envie d'envoyer quelque chose chez vous, je m'en charge.

Je me demandai si je pouvais adresser chez moi une partie de moi-même.

Le frère de César descendait de l'étage supérieur. Quelques pèlerins étaient affalés à des tables, trop épuisés pour parler. Le frère m'apporta de la salade et du pain. Il savait que je ne pouvais pas avaler autre chose.

– Vous êtes bien partie pour achever le Chemin, dit César. Courage. N'arrêtez pas maintenant!

J'étais incapable de m'arrêter, même si je l'avais voulu. Comment serais-je arrivée jusqu'à un avion?

Le frère me demanda si je voulais me reposer dans une chambre là-haut. Je refusai, sachant que cela casserait mon rythme.

Ils s'assirent à une table avec moi. J'observai César avec attention. Anna l'avait fréquenté pendant trois jours et disait que cette aventure avait contribué à l'harmonie de son mariage car elle lui avait apporté une diversion. Après avoir expérimenté une liaison romantique, elle se sentait plus féminine. Elle était contente d'elle à cause de César.

Il demanda des nouvelles d'Anna. Je lui dis combien j'étais attachée à elle et comment elle m'avait aidée dans cette incroyable expérience. Il hocha la tête en disant qu'elle l'avait aidé lui aussi. Je ne lui demandai pas de quelle manière.

Je passai quelques heures à bavarder et à me reposer avec eux. Ils étaient tellement gentils et hospitaliers qu'ils refusèrent toute rémunération.

Ces deux frères séduisants vivaient au centre d'un plateau désertique et aride se contentant de rendre service aux pèlerins de leur mieux.

Ils n'étaient peut-être pas si isolés que ça ? Je suis certaine que plus d'une femme qui accomplissait le pèlerinage en cherchant un sens à sa vie trouvait une réponse avec eux pendant un jour ou deux. Je savais que je ne les reverrais jamais mais ils m'avaient impressionnée – pas assez cependant pour monter à l'étage supérieur...

Je dis adieu à leur oasis proche de Calzadilla de la Cueza, en songeant que le sexe est comme le Chemin, un équilibre mouvant entre ce qu'on désire et ce dont on a besoin.

13

Quelques heures plus tard, l'invalide dans la chaise roulante me dépassa comme une étoile filante, plongé dans sa transe cosmique personnelle. En général, quand il arrivait dans un refuge, les gens lui venaient en aide. Il paraissait fonctionner avec une confiance totale en la protection divine. Il n'avait jamais d'argent et ne pouvait pas se débrouiller seul. Cela n'avait pas d'importance. Dieu était son copilote.

Sur le chemin de Sahagún, un homme sur une bicyclette m'intercepta. Il me transmettait les amitiés de Javier qui me retrouverait quelque part sur le Chemin. Je clignai des yeux en me souvenant de ce que John l'Écossais m'avait dit à son sujet.

Il m'apprit aussi que la chanteuse brésilienne avait les pieds en sang et qu'elle était à deux jours de marche derrière moi. Son mari se trouvait loin devant. J'ignorais qu'elle avait un mari. Peut-être ne le savait-il pas non plus.

Les pèlerins avaient l'habitude de se transmettre des messages sur le livre d'or des refuges. J'avais reçu un message des deux Irlandaises :

– Méfiez-vous de Javier. C'est un maniaque sexuel qui essaie de se glisser dans la couchette de toutes les femmes!

Merci pour lui!

Nous étions le 21 juin, le jour le plus long de l'année, le jour du solstice d'été.

A mesure que je marchais, je distinguais des nuances diverses de violet et de lavande mêlées aux couleurs des arbres et de l'herbe. Je fermai à demi les yeux puis je les ouvris tout grands. Je ne comprenais pas pourquoi je voyais ces couleurs. Au bout d'un moment, je me suis souvenue que les maîtres spirituels disaient que l'on commence à distinguer les teintes divines violettes et mauves (les couleurs du chakra au sommet de la tête) lorsqu'on atteint la longueur d'ondes de la quatrième dimension. La troisième dimension est la dimension physique de la réalité telle que nous la connaissons. La quatrième représente une perception au-delà de la dimension physique. Les maîtres affirment que le violet et la lavande s'imposent lorsqu'un être humain prend conscience que la dimension spirituelle réside dans le vivant. Nous avons été programmés, cependant, pour nous créer des problèmes – d'ordre psychologique, physique et même spirituel. Donc, nous ne sommes pas préparés à la paix de l'âme. Nous ne la désirons même pas car elle ne correspond pas à un état familier. La plupart des gens jugeraient ennuyeuses la béatitude et la paix. Mais le temps était venu où nous n'avions plus besoin d'apprendre à être conscients par la souffrance et les conflits. Notre identité fondamentale, en réalité spirituelle, se trouvait parfaitement équilibrée. Nous l'avions perdue de vue. Nous étions des êtres spirituels avant d'être physiques. Or, nous avons inversé la situation. Je me demandai comment cela s'était produit. Je n'allais pas tarder à l'apprendre.

En arrivant à Sahagún, j'appelai Kathleen. Elle avait mobilisé ce qui lui restait d'énergie pour se rendre à Paris, une dernière fois. Elle trouvait de nouvelles couleurs aux fleurs, aux gens, aux marchés, même à l'air.

– Tout me semble si beau maintenant... Pourquoi n'ai-je pas pris conscience de cette beauté avant de savoir que j'allais bientôt mourir?

– Mais tu ne vas pas mourir! Tu vas simplement trépasser – passer ailleurs.

– Passer où?

– A ta prochaine expérience, je suppose. Je crois que tu la trouveras belle aussi. Par moments, tu entrevois déjà une nouvelle dimension, n'est-ce pas?

Elle hésita un instant.

– Oui, en effet. C'est ce dont tu parles depuis des années?

– Ouais...

– Tu m'as dit que ton père avait vu des choses d'une beauté extraordinaire en mourant n'est-ce pas?

– Oui, et il me répétait qu'il croisait des parents morts depuis longtemps. Il savait qu'ils l'attendaient.

Un long silence s'ensuivit.

– Oh! mon Dieu! dit Kathleen, quand je reverrai Ken, est-ce qu'il va m'entraîner au fond encore une fois?

– Je ne vois pas comment il pourrait y avoir un fond au paradis. Quand tu y seras, tu y resteras.

– Crois-tu que nous avons perdu le paradis sur terre?

– Oui. Mais je ne sais pas comment c'est arrivé.

– Le sauras-tu à la fin du pèlerinage?

Je ne savais que répondre. Je décidai de lui raconter quelques-unes de mes expériences avec Ariel et John l'Écossais. Ensuite, je lui avouai que j'hésitais à les évoquer parce qu'on croirait que j'affabulais ou que j'étais folle. On penserait que j'étais complètement maso.

Après m'avoir écoutée, elle dit :
– Quand tu as l'intention d'en parler, fais-le librement, avec tes mots. C'est ta vérité. Tout le monde connaît sa propre réalité. La mienne a toujours été si intellectuelle. Il me faut mourir pour découvrir qu'il en existe une autre !

Elle continua sur ce sujet. Ensuite, elle me dit :
– Ne te fais pas de souci, je serai encore là quand tu reviendras. Je veux entendre la suite. Je suis sûre qu'il y en aura une !

Peu de temps après, un homme m'adressa la parole. Accompagné de son chien, il m'expliqua qu'il marchait depuis sept ans.

J'étais impressionnée par l'opulence des églises dans les villages, tandis que les pauvres donnaient leur dernier sou à la quête, pendant la messe. Un prêtre vendait aux paysans des bougies consacrées qu'ils allumaient. Ils s'agenouillaient devant et priaient. Quand les gens s'en allaient, le curé mettait de nouveau les cierges en vente. Les fidèles avaient payé pour le privilège de prier.

Je m'allongeai au centre d'un bosquet. J'avais laissé quelque part à sécher sur le rebord d'une fenêtre une petite culotte et une paire de chaussettes qui me manquaient. Je crevai une ampoule sur mon talon droit et en refermai la peau. Je plaçai mon chapeau sur mon visage et m'endormis en écoutant les arbres se balancer au-dessus de moi. Soudain, des éclairs éclatèrent dans ma tête. En ouvrant les yeux, j'aperçus une bande de journalistes autour de moi. Ensuite, deux types en costume paramilitaire descendirent d'une grosse moto et me mitraillèrent avec leurs flashes. Je me retournai et me rendormis. A mon réveil, ils étaient partis. La résistance passive, ça marche.

Je continuai vers El Burgo Raneros. Le village ressemblait au décor d'un western de John Ford. Les maisons en adobe, balayées par le vent, ressemblaient à celles de l'Arizona et du Nouveau-Mexique. Il y avait même un bar de style western. Je m'attendais à en voir sortir John Wayne d'une minute à l'autre. J'aperçus un distributeur de sodas et j'entrai dans le bar.

Une femme vint à ma rencontre et me proposa de laver mes vêtements. Elle m'invita dans ses appartements au-dessus du bar, où je m'assis devant la télé qui montrait une corrida. Je feuilletai le magazine *El Pronto* tandis qu'elle faisait cuire une *minestre* à base de pommes de terre et d'oignons.

Elle me proposa de se charger de mon sac à dos le lendemain, jusqu'à la prochaine ville, Mansilla de las Mulas. Oui, il serait merveilleux de marcher sans ce poids sur mon dos.

Je la remerciai et je me retirai au refuge, en face, dans la rue du western.

Le lendemain matin, des membres de la presse, assis dans le refuge, questionnaient les pèlerins à mon sujet.

Je m'habillai dans mon sac de couchage et je m'éclipsai par la pièce du fond, portant mon sac à dos, plus lourd que jamais. Je n'avais pas le temps d'attendre la dame du bar.

Je circulai comme dans un rêve parmi quelques-unes des plus anciennes et des plus belles cités espagnoles. León était la plus impressionnante des capitales de l'Espagne chrétienne au dixième et au onzième siècle. Conquise par les Maures dès le huitième siècle, elle avait été le siège d'interminables conflits entre Maures et chrétiens. Cette cité médiévale était entourée de remparts. J'avais l'impression d'y avoir vécu. A San Marco, un refuge et un monastère datant du Moyen Age, les moines me servirent un repas – du pain, du fromage et du vin. Assise dans l'église, j'essayai de retrouver cette impression de familiarité. Je me levai et commençai à explorer les rues de la vieille ville comme si quelqu'un me guidait.

J'observai les boutiques comme si je cherchai quelque chose.

Je l'entrevis bientôt. Je m'avançai lentement vers un magasin de bijoux anciens. Là, sur le côté de la vitrine, se trouvait une petite croix d'or. J'entrai et je m'enquis à son sujet.

– Elle est maure, dit le vendeur. Elle a été transmise de génération en génération. C'est une pièce intéressante et rare car elle pourrait aussi bien être chrétienne que musulmane. Elle évoque aussi l'ancien symbole égyptien qui porte bonheur.

– Savez-vous à qui elle appartenait ?

– Oh! non, dit-il. De nombreuses légendes accompagnent ces bijoux anciens. On sait seulement qu'elle date du temps de Charlemagne. Je n'en ai jamais vu de semblable.

Mes yeux se remplirent de larmes. Je me retrouvai sur le Chemin des temps anciens. John l'Écossais mettait la croix autour de mon cou tandis que je sortais de l'eau où il m'avait plongée. A présent, douze cents ans plus tard, l'avais-je retrouvée ?

– Je voudrais l'acheter, s'il vous plaît.

– Certainement, dit le vendeur. Voulez-vous une chaîne en or pour l'attacher ?

– Non merci. Je la mettrai dans mon ceinturon.

Je ne me souviens pas de son prix. Je l'ai payée avec ma carte de crédit.

Était-ce la même croix ? Celle avec laquelle John m'avait baptisée ? Oui. Cette même croix me rappelait l'expérience unique que j'avais vécue à travers l'espace et le temps.

Je parcourus les rues de León en état de choc. Qui pourrait me croire ? Et alors ? Je tenais entre mes doigts une preuve terrestre à trois dimensions de ce que j'avais expérimenté des siècles auparavant. La croix en main, je continuai ma route.

A la sortie de León, le Chemin traversait un pont au-dessus de la rivière Bernesga. Je franchis des montagnes d'ordures, de ferraille, et des entrepôts. J'accélérai le pas. Je traversai des torrents où je plongeai ma tête pour me rafraîchir. Je chantai : « Je suis fraîche et en paix » pour rythmer mes enjambées. Des pèlerins me dépassaient, en taxi et en autobus. Anna m'avait affirmé que je serais capable de faire quarante-cinq kilomètres à pied à la fin du pèlerinage. Je vis une jeune Espagnole qui marchait pieds nus, des prisonniers qui seraient libérés pour bonne conduite s'ils achevaient le pèlerinage. Je plongeai mes pieds dans tous les ruisseaux que je trouvai en les enduisant ensuite de vaseline. Je contemplai ma croix. J'aurais voulu converser avec John l'Écossais mais il m'avait abandonnée. Il me manquait.

Je découvris les ruines romaines et la cathédrale d'Astorga. J'étais maintenant une touriste qui admirait son propre passé tout en essayant de se souvenir – sans trop s'attarder.

Mes nuits consistaient à dormir sur des planchers dans mon sac de couchage ou à marcher comme dans un rêve, en compagnie de nouveaux amis qui pensaient comme moi. Nous avions l'impression que nous avions déjà visité ces lieux. Nous nous demandâmes quels avaient été nos rapports. Puis, nous nous sommes quittés, sans savoir si nous serions destinés à nous revoir. Chaque pèlerin était plongé dans sa prison d'épuisement, de confusion, tout en souhaitant ardemment la révélation, l'illumination qui donneraient un sens à cette souffrance. Nous avons évoqué les templiers qui protégeaient les pèlerins qui cherchaient Dieu en eux et ne méritaient pas d'être volés et terrorisés par des bandits. Nous étions reconnaissants envers le gouvernement espagnol qui protégeait aujourd'hui les pèlerins.

Je ne parlai à personne de ma croix. J'avais peut-être connu autrefois ces pèlerins, mais ils m'étaient étrangers aujourd'hui.

Il y avait partout des monuments en l'honneur de saint Jacques – Santiago – dont la légende disait qu'il avait protégé les chrétiens contre les Maures.

Je passai devant l'hôpital de San Francisco où l'on disait que saint François d'Assise s'était reposé durant le pèlerinage. Avait-il eu aussi des problèmes de santé ?

La plupart des églises qui ponctuaient le pèlerinage avaient été construites par les templiers. L'une d'elles était dédiée à Santa Maria et contenait les vestiges de l'ancienne structure romane du douzième siècle. Ici, à Rabanel, la légende rapportait que l'un des chevaliers de Charlemagne avait épousé la fille du sultan. Je visualisai le mariage. Je connaissais la mariée mais en ignorais la raison. Charlemagne et son armée suivaient le pèlerinage sur ordre d'« en haut ». Je me voyais à ses côtés discutant d'astrologie et de Dieu, et de ce que le pape voulait qu'il fasse au nom de la chrétienté. Le Chemin intensifiait les émotions et les confusions au sujet de l'interprétation de Dieu qui causait de nombreux conflits parmi les hommes. Les musulmans étaient-ils des païens et les chrétiens des infidèles ?

Soudain, avant de comprendre comment, je me retrouvai dans le refuge à la lisière de Foncebadon, le village abandonné aux chiens méchants. Le Chemin le traversait.

Je ne connaissais personne. C'était comme si une nouvelle troupe d'acteurs jouait sur la scène de mon théâtre. Je pris conscience de la nécessité d'avoir des amis.

Je m'assis seule, me sentant plus délaissée qu'au départ d'Anna à Pampelune. J'avais traversé plus de la moitié de l'Espagne du Nord ; j'avais reçu des visions que les grands médiums m'auraient enviées ; j'avais survécu aux torrents, aux déserts, à la montagne et aux journalistes, et pourtant j'avais peur d'une meute de chiens. J'essayais de me calmer, mais je craignais la mentalité d'une meute. Cela me terrorisait. Je me souvins du grand chien noir devant lequel Anna avait prié, et d'histoires sanglantes vécues par d'autres pèlerins. Avaient-elles été enjolivées pour frapper l'auditoire?

Les pèlerins autour de moi semblaient inconscients du danger qui les attendait. Ils n'étaient peut-être pas au courant? Il était sans doute préférable de ne pas savoir – le bonheur de l'ignorance.

Je retournai ma croix dans ma main. J'entendis alors des voix familières au-dehors.

Je courus à l'entrée. Carlos et Ali descendaient du bus en même temps qu'un randonneur allemand, saoul. Je les embrassai.

Mes amis étaient venus m'accompagner dans ma peur. Ali et Carlos se chamaillaient comme un vieux couple. L'Allemand descendait consciencieusement sa canette de bière.

J'évoquai la présence des chiens dans le village devant nous. Tous trois rejetèrent toute notion de danger.

Oh? D'accord.

Ali s'assit, enduisait son visage de crème et roula ses cheveux en bigoudis. Carlos nettoya son appareil photo, tandis que l'Allemand avalait une autre bière.

Étais-je la seule à éprouver de la frayeur?

Je passai la nuit à me retourner dans mon sac de couchage et, en me réveillant, je pris conscience d'une présence protectrice qu'accompagnait une senteur de vanille. Je regardai autour de moi pour voir si quelqu'un se vaporisait du parfum. Non. D'ailleurs, ce n'était ni le lieu ni le moment. Les gens marmonnaient, encore endormis, et s'habillaient.

Le parfum de vanille s'accentua. C'était Ariel!

Je pris un yaourt. Ali brossa ses cheveux. Elle était ravissante. Carlos lui décocha quelques flèches sur sa vanité. Elle le chassa avec coquetterie.

Quant à moi, en observant cette réalité, je me sentais à part. Ariel me tenait encore compagnie.

Nous avons commencé notre randonnée à sept heures du matin. Les autres avaient déjà quitté le refuge. Il était réconfortant de voir Carlos avec son sac à dos violet, son bermuda et ses chaussettes rouges. Ali s'aidait d'un bâton de pèlerin pour avancer. Je me demandai si elle s'était liée d'amitié avec son bâton. Nous avons marché pendant quelques heures en conversant. Ensuite, une sorte de sixième sens nous envahit.

Le village de Foncebadon s'élevait devant nous tel un fantôme dans la brume du matin, surpassant tous les effets hollywoodiens que j'avais pu expérimenter. Un sentiment d'effroi s'empara de moi. « Reste calme, me dit Ariel, n'attire pas le chaos. » Je me détendis un peu. Je mis en marche mon magnétophone mais n'osai pas parler, avançant en silence avec les autres. Nous atteignîmes la crête d'une colline avant de regarder en bas. Un filet de fumée sortait de la cheminée d'une cabane. C'était là qu'habitait une vieille sorcière entourée de ses chiens.

Il fallait bien approcher du village pas à pas. Un silence total régnait. Quelques bicoques abandonnées, les vestiges de maisons démolies, traces d'un passé lointain dans la lumière matinale. Que s'était-il passé dans ce lieu ? J'entendis au loin tinter les cloches des vaches et me frayai un chemin sur les pavés parmi les bouses de vache.

Carlos et Ali s'étaient séparés ; Carlos marchait devant avec l'Allemand qui n'avait pas encore picolé.

Je me trouvais au milieu, Ali fermait la marche. Alors, j'entendis un chien aboyer. Il s'agissait d'un aboiement insignifiant comme celui d'un petit chien de quartier. Mon cœur se mit à battre. « Du calme », dit Ariel. Je serrai fort ma croix en continuant à marcher. Je me souvins subitement du remède des

Indiens Hopi pour apaiser les chiens méchants. Je visualisai un beau cœur rouge sang, l'emplis de tout l'amour que j'avais en moi et projetai cette visualisation sur les chiens qui n'apparaissaient pas encore. Rien ne bougeait alentour, à part Carlos et l'Allemand, tandis que la fumée s'élevait de la cabane de la sorcière.

– Continue à marcher, dit Ariel.

J'obéis. J'entendis Ali éternuer et me retournai. Elle souriait. Des vaches paissaient sur les collines.

– Continue à marcher, répéta Ariel. Tu ne crains que ta peur. La peur n'existe pas en elle-même. Tu le sais !

Oui je le savais. Sur mes gardes, je poursuivis ma marche en projetant l'image du cœur rouge. Je n'entendais aucun chien aboyer. Je m'aperçus que j'avais traversé le village abandonné. C'était tout ? J'avais eu peur de cela ? Visualisant toujours l'image du cœur, je grimpai la colline.

Soudain, j'entendis Ali hurler. Mon cœur s'arrêta de battre. Je me retournai et la regardai.

– Mon bâton ! hurla-t-elle. J'ai perdu mon bâton ! Et il y a trop de mouches et d'insectes !

Des mouches ? Des insectes ? Ils ne m'avaient pas importunée. Je n'en avais même pas vu.

– Je ne peux pas avancer sans mon bâton, s'écria Ali. Je suis à bout de souffle et je ne peux pas marcher !

Elle s'appuyait contre une maison en ruine, entourée de bouses de vaches.

– Continue à marcher, Ali, criai-je. Enjambe la bouse de vache et remets-toi en marche !

– Je ne peux pas ! hurla-t-elle. J'ai besoin d'aide. Je ne supporte pas tout ça !

Subitement, j'éprouvai pour elle du dégoût. Elle cria le nom de Carlos qui se retourna, l'aperçut, et continua sa route.

– Eh! l'Allemand! Viens à mon secours!
L'Allemand obéit.

Je me trouvais alors entre les vaches, Ali et Carlos. Tout à coup, des chiens se mirent à aboyer – plus fort. Je n'étais pas rassurée. Je voulais continuer mais, sur la colline, je ne distinguai plus de flèche jaune.

Je criai à Ali :

– Avance! Bon Dieu!

Elle me regarda ébahie, plus bas sur la colline.

– Avance!

Elle enjamba de la bouse de vache. L'Allemand se dirigeait vers elle.

– Mais j'ai besoin de mon bâton! cria-t-elle.

– Oui, dit-il. Je vais le retrouver. Où l'avez-vous perdu?

– En bas, là bas.

La meute de chiens aboyait en chœur. Les vaches se dirigèrent lentement vers la colline. Une bande de chiens encerclait les vaches en les poussant vers le village.

Ali s'avançait péniblement vers Carlos.

– Quand apprendras-tu à réfléchir? hurla-t-il.

Les chiens formaient maintenant une horde menaçante. Je projetai la plus grosse visualisation d'un cœur aimant que je pouvais produire.

Ali rejoignit Carlos. Ils se mirent à courir en se disputant.

Je ne voyais plus l'Allemand. Les chiens pénétrèrent dans le village. Je fabriquai une autre image de cœur, encore plus puissante. Alors j'aperçus l'Allemand qui se tenait en haut de la colline, le bâton d'Ali entre les mains, prêt au combat. Il était sauvé. La meute fit demi-tour et courut vers Carlos et Ali qui ne se rendaient pas compte du danger tant ils étaient absorbés par leur dispute. Ma visualisation du cœur suivit les chiens. Ils parurent subitement confus et regardèrent le haut de la colline dans ma direction. Puis, vers Ali et Carlos qui venaient d'arriver sur la route nationale au-dessus du village. Ils se trouvaient hors de danger comme l'Allemand. Je me précipitai au sommet de la colline pour atteindre la route.

La meute fit volte-face et descendit vers le village, sans doute pour regrouper les vaches. Leurs aboiements féroces s'atténuèrent au loin tandis que je poursuivais mon chemin. Au bout d'un moment, essoufflée, je m'arrêtai et laissai s'enfuir ma visualisation. Je remerciai Ariel. L'ange était parti. J'enfouis ma croix dans ma poche. Ce que je craignais le plus était terminé. J'avais vaincu ma peur en produisant une image d'amour.

Je rencontrai plus tard quelques chiens hargneux sur le Chemin, mais je continuai à marcher en projetant l'image du cœur rouge. Ils grondaient rageusement, défendant leur territoire, mais mon Chemin était à présent le territoire que j'avais durement conquis.

A partir de cet incident je suivis le Chemin avec un grand calme, ce qui me permettait de marcher plus vite, parcourant parfois quarante-cinq kilomètres par jour comme me l'avait prédit Anna.

14

Après Foncebadon, Ali, Carlos et moi nous nous sommes séparés encore une fois. En marchant, je mangeais, je rangeais mon sac à dos, je buvais de l'eau, changeais la cassette de mon magnétophone, chargeais mon appareil et prenais des photos. Je marchais davantage sur la pointe des pieds et me sentais plus légère. Les chardons me piquaient les cuisses et les jambes mais cela ne me faisait pas mal. Je me mis à pratiquer une sorte de marche spirituelle où le rythme de mes pas s'harmonisait en cadence avec ma respiration. Je balançais mes bras au-dessus de ma tête de manière à ne pas avoir de crampes dans les mains. Lorsque je m'arrêtais, j'écoutais les rumeurs de la nature. C'est alors que j'appris à *voir* les sons et à *entendre* les couleurs.

Était-ce la liberté ? Non, pas encore. La vraie liberté aurait été de marcher nu-pieds, sans sac à dos ni bâton, ni nourriture ni eau, et surtout sans pensées.

Les pensées créent la souffrance et l'anxiété. Je me souvenais que le mystique Krishnamurti disait qu'il était heureux lorsqu'il pouvait marcher dans le désert sans qu'une seule pensée lui traverse la tête. Il s'était totalement abandonné à Dieu. Comme les anciens pèlerins, il marchait sans défense, et savait qu'il avait trouvé la liberté. Les saints voyaient des anges, faisaient des miracles et proclamaient qu'ils en étaient capables à cause de leur amour de Dieu. Ils parlaient de l'état impressionnant qui consistait à tomber amoureux de Dieu. Je me demandai si – m'abandonnant totalement à aimer Dieu – quelque chose pourrait encore me faire peur. Aurais-je encore besoin de *penser*? L'écrivain français Simone Weil a écrit au sujet de sa quête personnelle : « Une certitude suffira. Tout ce qui n'est pas certitude est indigne de Dieu. » Devrais-je alors être certaine de ce que je voyais et expérimentais au cours de ma propre quête? Ou dois-je douter de mes visions? Le conflit entre la croyance et la réalité est-il ce que nous nommons l'imagination? Si la « réalité » est définie par la vérité des cinq sens, que fallait-il « penser » de mes expériences? Y a-t-il une différence entre le cerveau et l'âme?

La définition de la « réalité » a changé avec la physique quantique. Les savants experts en la matière savent que la science et la religion existent, même en s'opposant, en tant que méthodes pour expliquer le mystère de Dieu.

Il y a peut-être deux réalités. La réalité matérielle du cerveau et la réalité divine de l'âme. La réalité divine étant le paysage de l'âme qui ne connaît ni n'obéit à aucune loi physique.

La réalité de mon âme paraissait vouloir communiquer avec mon cerveau et être comprise et acceptée dans ma vie présente. En fait, mon âme me suppliait de comprendre qu'elle était le dépositaire de mes expériences à travers le temps et l'espace, et que, pendant cette marche, elle communiquait ces événements à mon cerveau.

J'avais le sentiment que mon cerveau et mon âme, confondus, étaient devenus l'instrument de ma compréhension. Mon âme frappait contre les parois de mon cerveau, elle voulait être reconnue comme possédant un savoir au-delà de ma compréhension. Mon cerveau commençait-il à entrouvrir ses portes?

En marchant vers l'ouest, j'avais l'impression de me diriger vers le bout du monde. Ensuite, je me demandai : « Est-ce que je marche vers le commencement du monde tel que nous le connaissons maintenant? » Allai-je terminer le Chemin là où tout avait commencé? En quel lieu? La limite du « monde connu » – comme ils disent – est là où le Chemin s'achève : le Finisterre, au bord de l'océan Atlantique. Qu'est-ce qui s'était passé là? Pourquoi les légendes parlaient-elles du monde connu? Y avait-il eu un monde inconnu? Une question me passa par la tête · pourquoi nommait-on l'océan *Atlantique*?

Je sus alors que je devais accomplir le reste du Chemin dans un autre état de conscience.

Je décidai de faire mes adieux pour de bon à Carlos et Ali. Nous nous étions aidés mutuellement, mais maintenant, le Chemin m'apporterait plus que je n'aurais jamais imaginé, sur un autre plan.

Je leur parlai de mes sentiments. Ils comprirent. Nous échangeâmes nos adresses et nos numéros de téléphone. Carlos me demanda un autographe pour sa fille.

– Je sais que nous ne nous reverrons jamais, dit-il. Je n'ai aucune intention d'aller en Amérique. Il était très agréable de vous avoir rencontrée et je sais qu'on ne se reverra plus. Merci.

Je demandai à Ali si elle pourrait marcher seule.

– Non, dit-elle. J'ai peur. Je prendrai le bus de temps en temps, mais je continuerai à marcher avec Carlos quand je le pourrai. Je sais que vous avez été en contact avec des vérités en vous. Moi, je suis venue me promener. Vous devez marcher seule et accomplir votre but.

Nous nous sommes embrassées. Je sentis monter mes larmes, alors, je me détournai et je grimpai la colline. Dès que j'eus dit au revoir à mes amis, Ariel apparut à mes côtés. La senteur de vanille m'enveloppa. Je me mis à parler à l'ange.

– Qui es-tu? T'ai-je connu en d'autres temps et d'autres lieux?

Il ne répondit pas. Surgit seulement une odeur plus forte, comme si c'était la réponse.

– Es-tu vraiment un ange? insistai-je tandis que la senteur s'accentuait. Avons-nous tous des anges pour nous guider?

L'odeur devenait de plus en plus pénétrante et agréable.

Ensuite, je sentis sa présence autour de moi. Devant, derrière, sur les côtés, jusqu'à croire que je faisais partie de cette présence. Je me mis à pouffer de rire. Cela me fit penser au dalaï-lama qui rigolait souvent sans raison apparente, par une sorte de rire secret, aux moments les plus inattendus, comme si son âme entendait une plaisanterie venant des dieux.

Nous avions passé deux semaines ensemble à la conférence Ecco au Brésil, en 1992. Le Brésil – oui, beaucoup d'événements avaient commencé pour moi au Brésil. Le dalaï-lama était un personnage si joyeux, parlant sans notes pendant des heures, avec ce petit rire contagieux qui ponctuait son sage discours. Il était un séducteur. Un grand maître spirituel qui séduisait consciemment sans que la sexualité fasse partie de sa séduction. Ça me plaisait – l'idée d'un flirt spirituel.

Je gambadais sur un sentier de montagne, Ariel à mes côtés. Nous entrâmes dans un village où se trouvait une rivière avec un trou d'eau où l'on pouvait nager. Je m'arrêtai net. J'eus l'impression qu'un autre souvenir faisait vibrer mon être. Était-ce possible? Je reconnus la rivière où John l'Écossais m'avait « baptisée ». Je reconnus les collines et la cascade avoisinantes. Je m'avançai vers le petit étang où s'ébattaient des jeunes gens. Quelques-uns me reconnurent. Oh! mon Dieu! J'aurais tant voulu qu'on me pousse à nouveau à l'eau en mémoire de John! J'avais très chaud. J'enlevai mon sac à dos et le déposai à l'endroit où je me tenais jadis. Les jeunes me regardèrent ébahis, en cessant de rire. J'y allai ou non? Avec une liberté nouvelle et un souvenir ancien, je me déshabillai, ne gardant que mes sous-vêtements, et je m'immergeai sous l'eau.

Il faisait aussi froid qu'autrefois. Le souvenir du baptême envahit mon esprit. L'énergie du religieux et de l'eau agissait sur moi comme un tonique. Je restai immergée aussi longtemps que possible, la pression de l'eau ramenant à la surface la mémoire. Lorsque je sentis que le passé et le présent s'étaient réunis, je remontai en crachotant à la surface de l'eau, persuadée que je parlais l'arabe, tandis que je respirais l'air à pleins poumons.

Je regardai autour de moi, m'attendant à voir et les soldats chrétiens. A leur place, je vis la bande de jeunes gens, maintenant une foule. Les uns applaudissaient, les autres agitaient les bras. Je replongeai et nageai en riant. Je ne faisais qu'un avec l'eau, le froid et le soleil. Puis, quand j'en eus assez, je sortis de la rivière, vêtue de ma petite culotte. La foule applaudit. Je l'observai sans apercevoir de journalistes. Je me séchai et me rhabillai rapidement. Quelques personnes me demandèrent timidement un autographe. Un jeune m'offrit une bouteille d'eau minérale. Je la bus et le remerciai. Je me sentais sans complexe. Ça m'aurait été égal si la presse avait été là. Je m'étais baptisée dans une liberté nouvelle et une compréhension au-delà du réel. Je me fichais de ce que les gens pouvaient penser.

Je repris la route jusqu'à Ponferrada, où le monde réel s'imposa de nouveau avec son ambiguïté.

Un photographe me poursuivit et faillit me renverser avec sa voiture blanche. Je ne me fâchai pas. Il avait obtenu le concours de son fils pour me harceler en m'insultant et en me jetant des objets. Une photo de moi réagissant avec colère se vendrait bien.

Je me mis à jouer avec eux. Je me précipitai en zigzaguant dans la rue et me réfugiai dans une boutique. Le commerçant comprit le problème, me reconnut, me donna un soda à l'orange et me conduisit par la porte arrière dans un endroit de la ville où je serais à l'abri des vautours du dehors. Il ne savait pas où se trouvait le refuge. Cela m'était égal pourvu que cela soit dans la direction de l'ouest.

Il me déposa devant une jolie auberge, l'Hostel San Miguel. La patronne me donna une petite chambre où je pris une douche chaude, lavai mes cheveux et mes sous-vêtements. Je commençai à avoir des crampes dans les mains. Je ne pouvais terminer ma lessive. Les crampes remontaient dans mes bras. Je sortis de la baignoire, attrapant une serviette avec mes coudes, et fonçai vers le lit. Les crampes s'étaient étendues à mes épaules et mes jambes qui s'écroulèrent sous moi.

J'étais en manque de potassium.

Paralysée dans mon lit, je ressemblais à la comédienne Ellen Burstyn dans la scène de guérison miraculeuse de *Résurrection*.

Je tombai dans une sorte de rêverie. John l'Écossais m'apparut. Il souriait, ses yeux malicieux brillaient dans son visage rouge, plein de taches de rousseur.

– Eh bien, ma petite, tu t'es baptisée dans une expérience mémorable ?

– Oui, répondis-je. C'était merveilleux. Mais où étiez-vous ces temps-ci ?

– Oh! j'étais près de toi, dit-il. Mais il valait mieux que tu ne le saches pas jusqu'à ce que tu te baptises.

– Pourquoi?

– Tu as besoin de faire ta propre expérience sans moi, dit-il. Tu avais ton ange, n'est-ce pas?

– Oui.

– Est-ce que ta croix te plaît?

– Oh! oui! C'est celle que tu m'avais donnée?

– La même.

– C'est incroyable, dis-je.

– Ne t'es-tu pas sentie poussée à entrer dans cette bijouterie?

– Si.

– Alors tu dois apprendre à accepter de te laisser guider. Il n'y a pas de coïncidences dans la vie. Tout a un sens harmonieux et découle de la loi de la cause et de l'effet.

– C'est donc la même croix?

– Mon enfant, ne sois pas si soupçonneuse. Cela ne te va pas.

– Pourquoi ne le serais-je pas? Il y a tant de charlatans.

Mon interlocuteur me laissa à peine finir.

– Mon enfant, tu es en train de dire que tu es toi-même le charlatan car l'influence que tu soupçonnes émane de toi-même. Quand tu soupçonnes l'harmonie, c'est la tienne qui est déséquilibrée. Tu comprends?

– Alors ce que vous me dites en ce moment vient aussi de moi?

– Parfaitement. Tu crées ta propre réalité en toi-même.

– Donc, je vous crée aussi?

– Certainement. Tu crées le monde autour de toi et les gens qui y habitent. Et tu crées le monde en toi avec ce qui s'y trouve. Tu es un co-créateur avec l'énergie de Dieu. C'est ton rêve et tu crées ce qui est dedans. C'est pour cela qu'il est correct de dire que tout est un. Chacun de nous est l'autre. Alors ! Tu es cynique et soupçonneuse à l'encontre de ton propre rêve ?

Oh ! mon Dieu ! Je ne savais plus que penser. Le Chemin était réel, mon corps était réel, la douleur était réelle, ma confusion était réelle.

– Mon enfant, dit John comme s'il lisait dans mes pensées, tu m'as même créé moi pour te guider. Pourquoi n'as-tu pas confiance en ce que tu as inventé ?

– Alors, qu'est-ce que Dieu ? demandai-je.

– Dieu est l'énergie d'amour que tu as créée. Est-ce que tu désires la joie ?

– Bien sûr.

– Souviens-toi qu'une goutte de joie que tu crées transforme des océans de négativité. Le soupçon envers ton rêve est de la négativité. Ta vie est le rêve que tu as créé. Aie foi dans la vérité que tu possèdes la connaissance. Dans cette vérité, tu es une avec Dieu. Ta croix est le symbole de l'équilibre dans les quatre directions. C'est aussi le symbole de la crucifixion. Jésus était le maître de ces symboles et, lorsqu'il mourut sur la croix, il équilibra les problèmes de ceux qui vivaient à cette époque. Il porta sur ses épaules le karma collectif de l'humanité pendant sa crucifixion. C'est pourquoi il est dit qu'il est mort pour les péchés des hommes. Pour être plus précis, il a nettoyé le karma de l'humanité jusqu'à ce moment. Il était un véritable maître qui a dit : « Vous ferez ce que j'ai fait et davantage encore. » Il a dit aussi que le royaume des cieux est dans chaque homme.

– C'est l'énergie divine dont vous parlez ?

– Oui. Elle est ressentie comme une vibration d'amour. Tu l'as expérimentée durant ton concert de la nature pendant l'orage, n'est-ce pas ?

– Oui. Et je vous ai créé afin que vous me le disiez parce que je le sais déjà ?

– En effet.

Il resta silencieux. Je me demandai si je dormais et si mon rêve était fini.

Ensuite, John dit :

– Maintenant je propose que nous recherchions pourquoi tu accomplis le Chemin.

– Oui, dis-je. S'il vous plaît.

– Le Chemin te conduit à l'ouest, au bout du monde connu.

– Oui. C'est ce que rapporte la légende.

– Je vais maintenant te montrer pourquoi tu marches vers le monde inconnu.

Il y eut un silence.

Ensuite, le religieux ajouta :

– Détends-toi; je vais t'emmener dans un autre temps, dans un autre lieu, le plus magnifique que tu puisses imaginer.

J'attendis. J'étais nerveuse.

– Relâche ta conscience, dit-il. Empêche-la de te bloquer le chemin. Abandonne-toi.

Je commençai à me détendre à l'intérieur.

Ensuite, comme si j'entendais sa voix sur une autre vibration, mon esprit inconscient s'activa et devint un avec sa voix. Il est difficile de décrire ce qui m'arrivait. Ce n'était plus moi. Pas le moi que je connaissais. Au cours des autres visions, je sentais qu'il s'agissait de moi. Mais à présent, cette identité semblait m'échapper.

15

Cher lecteur,

C'est ici, à ce point du récit, que je me suis demandé si je devais inclure dans la narration de mon Chemin de Compostelle les événements qui vont suivre.

Je ne peux nier avoir réellement expérimenté ces événements, mais je suis consciente qu'ils peuvent choquer et perturber ceux qui n'ont jamais réfléchi à ces données. Le Chemin aide à résoudre les conflits émotionnels, mais j'ai expérimenté les raisons spirituelles, profondes et anciennes, qui demeurent la cause première de nos conflits.

Ce que je vais tenter de décrire détournera peut-être certains du Chemin en les menant jusqu'au bord de l'irrationnel, mais j'ai toujours pensé que si l'on ne peut pas s'avancer jusqu'au bord du précipice, à quoi bon marcher ?

Il existe plusieurs manières d'expérimenter notre éducation spirituelle.

Mon cœur se mit à se dilater comme si la mémoire de ce qui allait se passer résidait là. Je ressentis un battement intense dans ma poitrine. Mon corps sembla s'ajuster à un élément nouveau qui se tenait à l'intérieur de moi. J'entendis l'écho de la voix de John. Ensuite, je vis un symbole comme celui-ci :

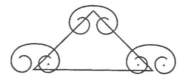

Et le religieux dit :

« La première blessure que subit l'humanité fut la séparation physique entre Dieu et l'esprit. Le premier karma fut la peur.

« Le triangle constitue la trinité qui correspond à l'équilibre entre l'esprit, le corps et l'âme, ou le Dieu, la Déesse et l'Enfant. Chaque spirale représente l'équilibre entre le yin et le yang, le féminin et le masculin, le corps et l'esprit. Les énergies se replient sur elles-mêmes vers le centre de la trinité qui est Dieu. A partir de maintenant, je donnerai à Dieu les noms de déité ou de Grand Esprit. En anglais, ces termes n'ont pas de genre.

« Dans le premier paradis sur terre, les êtres humains vivaient dans un état de perfection. Ils possédaient une forme physique qui incluait le masculin et le féminin – la forme androgyne. Chaque être humain vivait dans un parfait état d'androgynie du corps et de l'esprit.

« Cette époque est connue sous le nom de Lemuria. Dans notre mythologie, elle correspond au Jardin d'Éden. La civilisation lémurienne a survécu pendant des millions d'années. Peu à peu, lorsque l'esprit est devenu plus audacieux, les Lémuriens parvinrent à une décision capitale. Ils choisirent de séparer le yin du yang, le féminin du masculin. Ils se sont alors divisés. " De la côte d'Adam, Ève est née. " Ce récit de la Bible est exact mais incomplet, car c'est le symbole de la division sexuelle. Elle marque la fin de la civilisation lémurienne et le commencement de la civilisation atlantique. C'est le lien que tu recherches. Ainsi l'humanité s'est trouvée coupée de son autre moitié. Dans la perception de ce manque, la peur est née, peur de l'isolement, de la solitude et disparition de l'équilibre parfait de l'âme que reflète la déité.

« A présent, tu vas expérimenter cette division sexuelle que tu as déjà éprouvée. Je t'en prie, n'aie pas peur : tu vas seulement revivre une expérience lointaine. »

Mon cœur se mit à se dilater davantage.

Je commençai à prendre conscience d'une multitude de couleurs qui circulaient dans les artères de mon cœur. D'abord le vert, le bleu, le violet, ensuite des tons jaunes, orange et cramoisis. Les couleurs prirent des formes mouvantes. Je découvris une palette multicolore d'arbres, de fleurs et de végétation luxuriante. Une brise courbait les branches alourdies de fruits au long de cours intérieures paysagées où des fontaines projetaient haut dans le ciel des jets d'eau turquoise. Des ponts arqués, de style oriental, enjambaient des ruisseaux d'eau chaude, reliant un patio à un autre. Les cours étaient bordées de structures pyramidales, les unes en pierre, les autres en cristal. Des mosaïques sous forme de hiéroglyphes ornaient les flancs des pyramides.

Un silence profond et doux enveloppait la vie des petits animaux, de la faune et de la flore. Je les *sentais* communiquer entre eux. Levant les yeux, je vis, traversant un pont en avançant vers moi, un être humain de haute taille, au port majestueux. Son teint était orange doré, ses yeux violets. Une longue chevelure blonde lui tombait sur les épaules. Imberbe, il portait une djellaba blanche et des sandales. Il glissait sans bruit, un peu au-dessus du sol, à mesure qu'il s'approchait de moi.

En arrivant près de moi, il ne prononça pas une parole mais communiqua avec moi par la pensée.

– Bonjour! Je suis John l'Écossais, dans une incarnation antérieure.

Il sourit et je souris aussi en reconnaissant sa voix intérieure.

– Bienvenue dans ta terre d'origine. Je t'aiderai à refaire connaissance. Pense à ce que tu ressens et je te comprendrai.

Je me concentrai pour demander sans prononcer une parole :

– Est-ce ainsi que les gens d'ici communiquent entre eux?

– Oui, je te comprends, dit-il en souriant. C'est bien. L'œuvre la plus importante que nous ayons accomplie, continua John dans mon esprit, est l'unité totale de la pensée. Nous ne sommes pas séparés les uns des autres. Nous comprenons collectivement les besoins les uns des autres. Chacun perçoit l'autre instantanément.

Je me sentis devenir plus légère et m'aperçus que je marchais sur un chemin de cristal.

– Le cristal, dit John, est un amplificateur de la pensée. Il amplifie les ondes du cerveau, comme dans nos radios le cristal amplifie le son. Les sentiers en cristal aident à méditer.

Nous avons croisé d'autres êtres vêtus comme mon guide de longues robes ou de sarongs, et qui étaient aussi grands que lui. Je sentais les flux d'énergies qui traversaient les animaux et les plantes comme si j'en comprenais le langage.

– Nous sommes les jardiniers du mental, dit John. Les plantes ont des émotions. La pensée et l'activité humaine les influencent. Ici, en Lemuria, nous nous trouvons en complète harmonie avec les propriétés moléculaires des plantes et des animaux. Par une projection mentale, nous les nourrissons comme nous nourrissons chacun d'entre nous.

Lemuria représentait le Jardin d'Éden de la Bible. Je me posais des questions sur Adam et Ève et la tentation du fruit de l'Arbre de la Connaissance. Qu'était devenue la pomme ?

John répondit aussitôt à ma question :

– Je t'expliquerai plus tard la chute du Jardin d'Éden. Tu en faisais partie. Il sera préférable que tu en fasses de nouveau l'expérience plutôt qu'à travers mes explications. Tu as beaucoup à voir auparavant.

Tandis que nous marchions, je vis d'autres êtres qui méditaient en lévitation, à un mètre environ au-dessus des sentiers de cristal.

– Quelques-uns d'entre eux sont des prêtres, m'expliqua mon guide. Ils portent des casques en cristal pour intensifier leurs pensées.

Parfois, les parois des pyramides étaient incrustées de pierres précieuses : émeraudes, rubis, saphirs et jade. Les bijoux avaient la propriété de réfléchir les champs électromagnétiques de la terre car ils avaient été formés par les pressions naturelles des bouleversements géologiques.

Grâce aux fréquences électromagnétiques des forces de la terre, les Lémuriens possédaient des formes supérieures d'énergie. Ils ne formaient pas une société agricole mais une société écologique. John me dit qu'on ne pouvait calculer la longévité d'un Lémurien parce que son corps, en raison de ses propriétés harmonieuses, était immortel. Quand les âmes étaient très anciennes, elles choisissaient de dissoudre leur enveloppe physique pour retourner au plan astral. Ensuite, elles avaient la possibilité de se développer ailleurs.

Je marchais parmi les arbres et les fleurs avec lesquels je pouvais communiquer par télépathie. Je les entendais me répondre. Même les animaux que je rencontrais en chemin – de petits chevaux, des chiens, des chats et les légendaires licornes dont la corne

frontale servait d'instrument télépathique – connaissaient mes pensées. Certains répondaient en se frot-
tant à moi, d'autres se dressaient sur leurs pattes de
derrière. Cela me touchait beaucoup. Je me rappelai
combien j'aimais ces amabilités lorsque je vivais
parmi eux. Je touchai la corne d'une licorne. Elle était
constituée d'une protéine lisse, cristallisée, qui lui servait d'antenne. La licorne frotta son museau contre
mon bras.

Mon guide me conduisit au Temple du Savoir.
C'était une pyramide de cristal.

– Pour nous, l'acquisition du savoir est considérée
comme une harmonie spirituelle. Nous célébrons ici
des cérémonies religieuses, où nous rendons grâces à
la déité et nous communiquons notre savoir.

Il me fit visiter une salle de méditation. Une cin-
quantaine de disciples méditaient en cercle, en lévi
tant à environ un mètre au-dessus du sol. La pièce
silencieuse était plongée dans une brume bleutée. Il
n'y avait pas de maître. Je pouvais voir vibrer les auras
des Lémuriens. En observant attentivement leur
colonne vertébrale, je remarquai que leurs chakras
vibraient dans leur lumière respective.

John dit en riant :

– Ils pratiquent consciencieusement, mais la lévitation n'est que le développement d'une activité primi-
tive des capacités dimensionnelles.

Il me conduisit ensuite dans une « salle d'étude ». Il
n'y avait pas de meubles mais des estrades à différents
niveaux couvertes de tapis de prière sur lesquels on
méditait. Des colonnes de marbre blanc entouraient
les plates-formes. Je sentis une paix m'envahir tandis
que je regardais autour de moi. John me fit signe de
m'asseoir sur l'un des minces tapis.

– Nous préférons méditer collectivement, dit-il,
parce qu'il émane du groupe une énergie électromagnétique. Si nous sommes aussi évolués spiri-

tuellement, c'est parce que nous communiquons ensemble sur tous les plans. Nous n'avons pas de pensées individuelles. Nous sommes UN dans l'harmonie qui engendre la paix.

Je m'assis en posture de méditation. Je songeai qu'au vingtième siècle où je vivais – et au vingt et unième – tout était concentré sur l'individu, la compétition individuelle, l'intimité, les besoins et les désirs individuels, et le bonheur individuel. Mon esprit moderne avait du mal à comprendre le principe de l'harmonie collective. L'âme n'existait même pas pour la plupart des Occidentaux. Peu de choses dans notre société étaient destinées à la nourriture de l'âme. Notre musique même brutalisait l'esprit d'harmonie. Elle était discordante, forte et perturbante. C'était sans doute pourquoi beaucoup de gens recherchaient le bonheur dans la drogue, en vertu d'un désir d'expériences ultradimensionnelles qu'ils sentaient faire partie de notre vérité spirituelle. La musique rassemblait des vibrations sonores, pourquoi ne pourrait-elle pas calmer et guérir ?

– ... Pendant des millions d'années, poursuivit John, ces âmes formées de forces négatives et positives, de yin et de yang, comme les forces naturelles qui animent l'univers – car sans polarité il n'y aurait pas d'action, donc pas de création, qu'elle soit spirituelle, scientifique, philosophique, ou matérielle –, au cours des siècles donc, ces âmes ont évolué, des millions de couples tourbillonnant dans l'espace jusqu'à ce que certains aboutissent sur la planète Terre tandis que les autres tournoyaient sans fin dans d'autres galaxies. Les âmes de certains anges, comme Michel, Ariel, Raphaël et Gabriel, parmi d'autres, reflétaient un état divin. Ils communiquaient entre eux grâce à des vibrations de lumière et d'illumination. Ils ne servaient que le Grand Esprit qui les avait créés. Ces archanges avaient pour mission de surveiller les âmes sur terre. Celles-ci ont dégénéré au cours de millions d'années, allant même jusqu'à se rebeller contre la déité sous la conduite de Lucifer : la naissance de la tentation et du péché.

« Au cours d'une évolution simultanée, ailleurs, dans d'autres galaxies, vivaient d'autres êtres. Quelques-uns avaient développé une haute spiritualité, d'autres une technologie très avancée, d'autres encore les deux à la fois. Les extraterrestres, comme nous les nommons, ont inventé des machines hyper-sophistiquées qui leur permettent de parcourir le cosmos et de visiter d'autres planètes. Ils ont apporté avec eux leur culture et leurs concepts. En observant la situation sur la planète Terre, ils ont essayé d'accélérer le processus de l'évolution. Ils possédaient une connaissance approfondie de la génétique et de la biochimie, ils ont modifié les données de l'évolution par la technologie du cristal, les manipulations génétiques et des croisements avec les primates. Ce processus correspond au lien manquant dans la théorie de l'évolution de l'être humain sur terre. Ainsi la race ADAMIQUE est-elle née. Elle s'est développée et a évolué pendant des milliers d'années. »

Je sentis une légère vibration me soulever de terre et une paix que je n'avais jamais éprouvée.

– Alors, des visiteurs de l'espace ont étudié l'évolution de notre planète depuis des millions d'années ? demandai-je à John.

– Oui, cela n'a rien d'extraordinaire. Cela arrive sur la plupart des planètes. Il existe de nombreuses espèces d'extraterrestres, dont certaines sont plus évoluées spirituellement que d'autres. Par exemple, les extraterrestres de la seconde invasion – si l'on peut dire – n'ont pas non seulement apporté sur terre un grand progrès scientifique et technologique, ils voulaient également être révérés en tant qu'êtres supérieurs, à l'instar des dieux. Ils ont défié la règle d'humilité et d'égalité du Grand Esprit.

« C'est à cette époque que nous atteignons une période critique dans l'histoire des Lémuriens. Atlantis, située dans ce que nous appelons maintenant l'océan Atlantique, était une colonie avancée de Lémuriens qui désiraient se séparer de l'ancienne Lemuria, afin de mettre en œuvre les nouvelles technologies des extraterrestres. Les Atlantéens étaient séduits par leurs vaisseaux spatiaux, leur science avancée, leurs expériences génétiques et leur culture en général. Cependant, les messagers de l'au-delà essayaient d'avertir les Atlantéens de ne pas abandonner leur source spirituelle, mais leur politique consistait à ne jamais interférer directement. Liée au vivant, la conscience collective de l'humanité influençait et orchestrait les mouvements écologiques de la nature. La Terre réagissait organiquement comme une plante ou un animal. Quand les âmes de ses habitants se sont vues altérées, perturbées, désorganisées, la terre elle-même tomba dans le chaos.

« C'est ainsi, dit John avec tristesse, que j'ai vu Lemuria sombrer sous les eaux. Des activités volcaniques sous la surface des côtes de Lemuria se mirent en mouvement et Lemuria disparut dans l'océan tandis que des millions d'âmes appelaient à l'aide, n'ayant pas conscience de leurs manquements. »

J'avais besoin de comprendre pourquoi j'étais revenue maintenant à Lemuria.

– Oui, dit-il. Tu étais là avec moi. Tu étais mon élève...

Soudain, on frappa fort à la porte. Je n'entendais que faiblement la voix de John dans ma tête. Je ne savais pas ce qui passait... seul résonnait un écho mêlé aux coups sur la porte.

Ensuite, j'eus l'impression de sortir d'un tunnel. J'eus conscience de me trouver dans un lit, à l'hostellerie San Miguel de Ponferrada, en Espagne.

Je me levai péniblement, trempée de sueur. Je me sentais l'esprit confus, et très seule. J'approchai lentement de la porte. En l'ouvrant, je vis la patronne accompagnée d'un homme qui parlait anglais. Elle me proposa de dîner avec lui dans la salle à manger, afin de me protéger contre la presse qui se trouvait déjà là.

Je les remerciai, leur dis que je descendrais plus tard et refermai la porte.

En prenant des notes, je me souvins d'une citation du *Tao-tö-king* [1], qui m'avait impressionnée : « Ceux qui savent ne parlent pas. Ceux qui parlent ne savent pas. »

Je m'habillai puis je retrouvai l'homme qui parlait anglais dans la salle à manger. Je grignotai un repas dont je ne me souviens pas. Je voulus régler l'addition mais on m'en empêcha. Je réfléchis sur la tactique à employer pour échapper aux journalistes le lendemain matin tout en cherchant une flèche jaune dans la ville. J'essayai d'analyser si je souffrais d'une sorte de dislocation psychologique. Mais l'environnement où je me trouvais n'était pas propice à l'évaluation de l'âme. Il me fallait sortir de cette ville. Il me restait peu de temps.

Le passé dont j'avais été témoin faisait-il partie de moi maintenant ? Je savais que mon avenir se déroulerait d'une manière imprévisible, mais ma vie actuelle était un amas de troubles.

Je m'endormis l'esprit confus. Je me retournais nerveusement dans mon lit sans distinguer ce qui formait un rêve ou représentait une vision de la réalité. Je savais que j'avais créé ces pensées et ces impressions. Avais-je donc suscité Lemuria, le péché originel et ma séparation du divin ? Était-ce le message ? Sommes-nous à la source de ce que nous *pensons* et qui nous arrive ?

---

1. Attribué au sage taoïste Lao-Tseu qui vécut en Chine environ 5000 ans avant J.-C.

16

Le lendemain matin, je voulus régler ma chambre mais la patronne refusa. Elle me fit sortir par la porte de derrière pour échapper aux journalistes qui attendaient.

Deux ménagères espagnoles me conduisirent à la flèche jaune. Je pus traverser rapidement la bourgade et reprendre ma route. Je traversais un verger quand un molosse noir bondit de sa niche en visant ma gorge. Mais il ne put m'atteindre. Une longue chaîne l'arrêta en plein vol. Je repris mes esprits et continuai mon chemin. Le chien n'était pas une création de mon esprit.

A Cacabelos, j'entrai dans une petite boutique. Le patron m'offrit du vin et de la nourriture. J'avalai des cerises. Il proposa ensuite d'envoyer chez moi les objets trop lourds dans mon sac à dos. Je lui donnai des vêtements et mes précieuses boîtes de films. Je le payai et lui offris une contribution pour l'église. Je le remerciai en pensant combien les gens étaient gentils pour les pèlerins. Je ne reçus jamais ni les vêtements ni les films. Mais quelles photos pourraient se comparer à mes visions ?

J'entrepris mon ascension de la montagne vers Villafranca del Bierzo. On dit que si le pèlerin arrive jusqu'à Villafranca, il est absous de ses péchés. Quinze millions d'années de vies !

Une demi-heure plus tard, je fus prise de diarrhée en raison des cerises. Je m'arrêtai, baissai mon short et m'accroupis. Un homme maigre et grand apparut entre les arbres. Il voulait un autographe. J'essayai de le chasser mais, lui, indifférent à ce que je faisais, désirait me parler. Je l'ignorai et continuai. Il eut finalement la courtoisie de s'éloigner. Les célébrités ont le privilège de ne pas avoir d'intimité.

Le refuge suivant était un magasin abandonné avec un toit en plastique. A l'intérieur, la température était de trente-cinq degrés. Le responsable refusa de me laisser utiliser la salle des bains. Je lui demandai si je pouvais laver mes vêtements. Il dit non. Je remarquai un sèche-linge dans un coin et je dis que je savais comment ça marchait. Il refusa encore.

Je marchai jusqu'à la prochaine ville. Le Chemin suivait une route nationale encombrée. Je faillis être renversée par un gros camion. Je ne pouvais pas me tenir tranquille pendant plus d'une heure. Je continuai à marcher. Par monts et par vaux, traversant des torrents et des cascades. Je me sentais seule, d'humeur irritable. Peu m'importait d'être perdue ou non. J'étais perdue dans le temps. Je voulais seulement comprendre ma réalité. Était-ce pour cette raison que les gens à travers les âges effectuaient ce pèlerinage ? Avaient-ils expérimenté ce qui m'arrivait ?

Les cascades jaillissaient des rochers tandis que j'escaladais la montagne. Des pèlerins épuisés dormaient sur le bas-côté du chemin. A quoi rêvaient-ils ?

Chaque fois que je croyais avoir atteint le sommet d'une montagne, elle se dressait encore plus haut. Mon Dieu ! Comme dans la vie ! Je m'étalai dans une bouse fraîche. Je me demandai si c'était animal ou humain. Qu'arriverait-il aux égouts si les gens ne se nourrissaient que de mangues ?

Lorsque je me retournai pour évaluer la distance que j'avais parcourue à pied, j'eus un haut-le-cœur. Nous ne devrions pas chercher à savoir ce qu'il y a derrière ou devant nous. Pourquoi ne pas laisser tomber ? Je n'étais pas celle que je croyais. J'étais en train d'apprendre qui j'étais avant de devenir moi-même.

Je passai à côté de chaussures, de chaussettes et de pantalons abandonnés, puis j'atteignis un village avec une fontaine, en haut de la montagne. En l'approchant, deux chiens me menacèrent. Je n'y prêtai pas attention. J'étais concentrée sur l'eau claire. Les chiens s'en allèrent.

Je bus l'eau fraîche et y plongeai ma tête.

Les flèches jaunes me conduisirent le long de la Calle del Agua où se trouvait l'église de San Francisco, en hommage au voyage de saint François d'Assise à Compostelle. Je me demandai si son âme vivait quelque part sur terre.

On disait qu'il fallait boire le vin de Villafranca avec modération, parce qu'il brûlait la gorge comme une bougie qui brûle votre âme. Je pouvais boire à volonté, mon âme avait déjà été brûlée.

Je marchais dans une sorte de rêverie confuse et douloureuse. Pourrais-je raconter mes visions-rêves à quelqu'un sans qu'il lève les yeux au ciel ? Fondamentalement, j'étais une personne qui avait les pieds sur terre et j'avais la réputation d'être sceptique – que m'arrivait-il ? Parce que j'avais les pieds si bien ancrés sur terre, j'étais peut-être capable de raconter son histoire. Est-ce que j'entendais et voyais l'expérience de la terre d'une manière si frappante que cela paraissait délirant ?

Je marchai jusqu'au coucher du soleil. Je m'arrêtai dans un lieu désert, sous des arbres dans un champ, et déroulai mon sac de couchage. Je m'y couchai en regardant les étoiles. Je reconnus les Pléiades et Orion. Je me souvenais de la référence biblique qui parlait de l'influence bénéfique des Pléiades et des liens d'Orion.

Les auteurs du « Livre de Dieu » étaient-ils au courant de l'influence extraterrestre sur l'humanité ? Je contemplai le ciel étoilé jusqu'à avoir l'impression de voir entre les particules de lumière. Que faisaient en ce moment précis les êtres vivants sur les autres planètes ? Contemplaient-ils la Terre ? Étais-je influencée par eux par une sorte de télépathie ? Est-ce que je les inventais comme certains scientifiques disent que nous avons inventé le temps ?

Beaucoup de gens sont persuadés que l'union sexuelle est ce qui ressemble le plus à l'expérience du divin. C'est sans doute l'une des voies, et à partir de ce que j'ai expérimenté, je comprends pourquoi la sexualité est, dans le monde actuel, à la base de tant de confusion, de désespoir, et d'un désir de complémentarité.

Dans un élan d'énergie, je remontai le temps en traversant un tunnel de lumière. De plus en plus loin, jusqu'à ce que je me trouve de nouveau dans le Temple du Savoir de Lemuria. J'étais assise à côté de John sur le tapis de méditation. J'entendais la même musique et nous étions au milieu de sa dissertation sur Lemuria au moment où elle avait été interrompue par les coups frappés à la porte de ma chambre à Ponferrada.

– Tu étais mon élève, continua-t-il. Tu faisais partie de notre programme pour l'amélioration de l'espèce. Nous avions besoin de toi. Nous avions besoin de ceux qui contribueraient à rétablir l'harmonie à Atlantis et par conséquent sur la mère patrie, Lemuria. Suis-moi.

J'obéis. Nous marchâmes dans la rue de cristal où jouaient des enfants et où des lézards aux plumes brillantes se faufilaient entre nos pieds.

Mon guide me conduisit dans un bâtiment de cristal. Nous croisâmes des gens qui avaient un air de révérence.

– Ici, la vie commence, dit-il. C'est notre alpha... notre commencement. Notre portail de vie. Ce sont nos chambres d'accouchement.

Je vis au bout du couloir bleuté l'entrée d'une chambre d'accouchement.

– Viens, ajouta-t-il. Nous allons nous préparer.

La chambre d'accouchement était d'un bleu plus soutenu.

– Une couleur qui guérit, commenta John.

Autour de l'immense pièce se trouvaient des aquariums de cristal encastrés dans des blocs de marbre sculptés en forme de matrices, où flottait un liquide doré.

– Dans les aquariums naissent les nouveau-nés, dit John.

J'aperçus des êtres dans des aquariums, à l'autre extrémité de la salle, qui nourrissaient leurs bébés. Des assistants venaient s'occuper des mères et les essuyaient avec soin ainsi que les nourrissons. Ils examinaient les nouveau-nés à travers d'énormes cristaux.

– Ils recherchent des malformations dont ils devront s'occuper immédiatement.

Il me conduisit vers un aquarium particulier où un être flottait dans le liquide doré. Ses cheveux étaient coupés court; son ventre ferme et protubérant. Les jambes paraissaient solides et musclées ainsi que les fesses. Un parfait exemple d'une sculpture de la Grèce antique, masculin et féminin.

– Voici notre héritage, dit John. La naissance est l'un des moments les plus sacrés dans la vie des Lémuriens – tu vas être témoin d'une naissance. Nous ne connaissons pas la fausse modestie, donc, suivant la coutume lémurienne, nous ôtons nos vêtements.

Comme dans un rituel, il se déshabilla lentement. Je l'imitai. Il enlevait ses robes blanches avec grâce. Au début je n'y prêtai pas attention, puis, ébahie, j'ouvris tout grands les yeux. Il avait les seins d'une femme – je ne comprenais pas. En abaissant mon regard, je vis que John avait un sexe d'homme. Il était androgyne. Je m'observai moi-même quand je me suis dénudée. A ma stupéfaction, j'étais aussi androgyne. Je regardai mon compagnon. Je ne savais que penser. Il eut un sourire.

– Tu vois, dit-il, c'est comme au commencement du monde. L'âme ne différenciait pas le masculin du féminin. Il en va de même avec les Lémuriens. Les âmes sont androgynes et façonnent leurs corps selon les circonstances.

Je regardai dans la piscine. L'être qui allait accoucher se retourna, dévoilant son ventre et ses seins et des organes génitaux masculins.

– Cet être va commencer à avoir des contractions, ajouta-t-il. Cette nouvelle mère va produire un enfant.

Je dévisageai la future mère. A part des contractions du ventre, elle ne semblait pas souffrir. Elle/il se trouvait dans un sommeil profond – autoprovoqué. Je remarquai que le ventre s'élargissait et se développait dans un accouchement sans douleur. La parturiente avait maintenant une apparence féminine. Les seins étaient pleins. L'expression sur son visage bleuté était sereine. Il/elle flottait paisiblement dans le liquide doré. Ses jambes s'ouvrirent et l'enfantement se fit naturellement par l'utérus et le vagin. Le nouveau-né était androgyne. Le bébé flotta dans le liquide doré.

Des sages-femmes, androgynes, coupèrent le cordon ombilical. Elles prirent soin du bébé et le caressèrent.

J'observai la mère. Il/elle ne flottait plus et reposait au fond de l'aquarium. Un infirmier courut chercher un gros cristal et, à travers celui-ci, examina le corps de la mère androgyne en cherchant des signes de vie. Il n'y en avait plus. La mère androgyne était morte. Je me mis à hurler et à sangloter. Puis, j'essayai de me contrôler et de comprendre l'événement terrible qui s'était produit.

– Regarde attentivement le visage de l'être, dit John.

J'obéis et j'observai le visage de la mère. Ma mémoire parcourut à la vitesse de la lumière des millions d'années jusqu'au temps présent. Alors, je compris. Le visage était celui de Charlemagne qui allait devenir Olaf Palme.

Je tombai à genoux.

– Pourquoi ? m'exclamai-je. Pourquoi cette âme devait-elle mourir ?

Il posa sa main sur ma tête.

– Mon enfant, cet être était ton âme sœur. Elle avait un défaut karmique qui nécessitait un passage par un état divin. Cette âme a succombé à son passage de vie à trépas, volontairement. Cela peut paraître injuste mais à long terme, c'était nécessaire. De même qu'il est nécessaire que tu sois témoin de ce que tu avais expérimenté à l'époque, afin que tu comprennes.

Je regardai le visage familier. Je sentis les larmes couler sur mes joues, sur mes lèvres.

– Tu as vu cette âme sur le Chemin, et tu l'as aimée dans ta vie présente. Cela te fait mal mais la vérité nécessaire est moins pénible que l'absence de vérité.

– Il était mon amant de cœur ? demandai-je comme une adolescente.

– Non. Une âme sœur. Vous avez vécu ensemble en de nombreux lieux, au cours de nombreuses époques.

Alors la vraie question se posa pour moi.

– Pourquoi ai-je connu cet homme plus tard ?

– Tu vas le comprendre bientôt.

– Est-ce que les âmes sœurs s'incarnent toujours dans le sexe opposé ?

– Oh! non, dit John. Souvent elles sont du même sexe. C'est pourquoi tant de relations homosexuelles sont si profondes et si positives. Tu vois comment l'identité sexuelle n'a rien à voir avec la spiritualité? C'est le contexte spirituel qui importe.

– Alors nous sommes tous fondamentalement androgynes?

– En effet. Nous avons oublié que notre corps doit refléter notre âme qui possède un équilibre parfait de yin et de yang, de positif et de négatif, de masculin et de féminin. Nous avons stéréotypé une sécession. Tu vas bientôt comprendre pourquoi.

– Mon âme sœur est-elle incarnée actuellement en ce monde?

– Non. C'est la raison de ta quête perpétuelle. Tu recherches l'autre moitié de ton âme.

Je me relevai et regardai une dernière fois dans l'aquarium. Je soupirai et fermai les yeux. Puis je me rhabillai en même temps que John.

– Ai-je eu un enfant en Lemuria?

– Tu as été enceinte, oui.

– L'ai-je fait seule? Ai-je simplement décidé d'être enceinte?

– Oui. Par la méditation en commun tu as découvert qu'une autre âme désirait s'incarner. Tu as décidé d'être la porte d'entrée pour cette âme et tu t'es imprégnée de ton désir androgyne. Ta polarité yin-yang était parfaitement équilibrée. L'âme nouvelle s'est incarnée dans ton corps au bout de trois mois et demi. C'était une grande responsabilité.

Je passai la main dans mes cheveux et soupirai de nouveau.

– Permettre à une âme d'entrer dans le monde physique a dû être la quintessence de l'expérience lémurienne?

– Oui, c'était l'acte ultime. L'enfant était élevé par deux êtres androgynes qui avaient décidé de vivre ensemble.

– Est-ce que ces deux êtres étaient monogames ?

– Bien que la conscience sexuelle n'existât pas à l'époque, on pouvait atteindre à une plus haute spiritualité par une relation monogame.

Mon guide me conduisit à un hall de méditation en cristal. Nous nous assîmes en posture de méditation. Je me sentis plongée pendant un temps incalculable dans un état de conscience de semi-veille qui servait à apprendre, disait John. Cela me parut durer des jours, des semaines ou des mois. Je ne connaissais plus la dimension du temps. Ma méditation était intemporelle.

Assise en position du lotus, je sentis peu à peu mes sept chakras vibrer de couleurs. Je me sentis proche de mon état originel, de mon aura angélique. Ensuite, je vis dans une sorte de brume les traits d'une autre âme passer devant mon visage. Sans pouvoir distinguer qui c'était, je décidai de devenir un portail pour le retour de cette âme. Bientôt, à travers une méditation plus profonde, je matérialisai ma propre grossesse. John me dit qu'au quatrième mois l'âme d'un/d'une autre entrerait dans le nouveau corps à l'intérieur de moi et que le fœtus en moi bougerait.

Il m'expliqua que j'étais prête à participer dans une expérience nouvelle à Atlantis qui allait « améliorer » la civilisation là-bas. Le Conseil des Anciens de Lemuria, avec l'avis sollicité des extraterrestres, avait voté cette expérience, nécessaire pour la déité. Il fallait modifier le comportement des Atlantéens séduits par la nouvelle technologie, la concentration sur le matérialisme et leur « moi », qui les propulsaient vers l'égoïsme et une attitude de supériorité. Il ajouta que je m'étais portée volontaire pour initier le programme auquel les habitants de la Terre seraient éventuellement soumis. Je ne devais pas en parler et me préparer, le moment venu, à partir pour Atlantis.

Soudain, la scène au Temple du Savoir disparut. Je me trouvai au milieu d'une rue animée, consciente du bruit autour de moi. Les gens qui achetaient et vendaient comme sur un marché s'affairaient en parlant fort. Des odeurs de friture emplissaient l'air. Je remarquai que quelques personnes arboraient une forme masculine ou féminine. Des bijoux ornaient les cous, les oreilles et les bras des femmes. Maquillées, elles parlaient rapidement d'une voix aiguë. Les hommes, en revanche, s'exprimaient sur un ton plus bas et marchaient devant les femmes. Ils portaient des poils sur leur visage et leurs bras, ce qui me surprenait car les Lémuriens étaient imberbes.

Des disputes éclataient à chaque coin de rue. Un chien efflanqué s'approcha d'un cercle de commerçants hargneux. L'un d'eux lui donna un coup de pied. La bête gémit et s'en alla la queue entre les jambes.

Les enfants jouaient en bandes en riant fort. Leurs gestes devenaient clandestins lorsqu'ils s'apercevaient de la présence d'un adulte.

Des vaisseaux spatiaux pilotés par des extraterrestres planaient au-dessus de leurs aéroports. Il semblait exister une séparation manifeste entre les Terriens et les extraterrestres. Je cherchai John en vain. Alors, j'entendis quelqu'un chantonner au loin d'une voix qui me ravit.

Un homme s'approcha pour me saluer. Je reconnus mon père actuel. Il portait une longue chevelure noire. Nous avons mêlé nos paumes et nous nous sommes touché légèrement les joues en guise de salut. Nous marchâmes ensemble. Je pressai fort le centre de mon front. Il ne savait pas qu'il serait mon père au vingtième siècle. Au cours de sa vie présente, il était apparemment un bon ami.

Il me parlait avec enthousiasme des nouvelles valeurs d'Atlantis. Mais j'observai que ses mouvements n'étaient pas fluides et doux comme ceux des Lémuriens. Sa démarche était saccadée et légèrement discordante.

– Les choses ont beaucoup changé ici, dit mon père. Parfois, cela crée la confusion, mais pour la plupart d'entre nous, c'est stimulant.

J'avais conscience d'entendre du langage parlé.

– Je vois, continua mon père, que tu te prépares à accoucher...

Je souris en caressant mon ventre. Puis je regardai le ciel.

– Oui. Je prépare un portail pour une vie nouvelle.

Tandis que nous marchions ensemble, mon père et moi, j'éprouvai une sorte de malaise, comme si nous évoquions des pensées sur un mode différent au lieu de nous trouver en harmonie. J'avais du mal à communiquer avec lui.

– Oui, dis-je. Je vois qu'Atlantis a changé. Pourquoi utilise-t-on tant de cristal ?

– Bien des expériences nouvelles sont pratiquées ici, me dit-il. Je ne suis pas très au courant de la signification du cristal. Des personnes d'un très haut niveau y participent. Mais j'ai entendu dire par ceux qui sont concernés qu'il s'agit d'une voie vers une plus haute activité spirituelle.

Je regardai mon père sans parler. Nous avancions dans les rues bruyantes et encombrées. Les gens marchaient vite, avec un certain manque de coordination dans leurs mouvements. Ils étaient habillés comme pour une soirée de gala. Les couleurs de leurs turbans, m'expliqua mon père, correspondaient à leur rang social.

– Vous avez des différences sociales ici ? demandai-je.

– Oui. Ça fait partie de l'évolution moderne. Il est gratifiant de porter la couleur la plus respectée.

– La plus respectée ? Qu'est-ce que ce système ? C'est vraiment différent de Lemuria !

– Eh bien, à Lemuria tout était mis en commun parce qu'il fallait nourrir spirituellement l'âme collective, mais ici, c'est plus varié – plus individualiste.

– Comment ça ?

– Eh bien, nous avons les autorités gouverne-
mentales, les savants, les intellectuels, les littéraires,
les artisans, des militaires qui servent de police, un
corps sanitaire et...

– Vous avez une armée et une police ?

– Oui, dit papa, l'œil brillant.

– Pourquoi ?

– Nous avons tant d'œuvres d'art et de connaissances scientifiques à protéger ! Nous ne voulons pas
que notre progrès soit corrompu par le crime.

– Le crime ?

– Oui, le crime.

– Qu'est-ce que le crime ?

Papa parut étonné que je sois si naïve.

– Eh bien, le crime existe quand un individu
commet des infractions contre la loi.

– Quelle sorte de loi ?

– Une loi décidée par le gouvernement pour protéger la société.

– Contre qui devez-vous protéger la société ?

– Contre chacun d'entre nous, voyons !

Je me souvins des paroles de John : « Quand une
société commence à penser individuellement, c'est le
début de la fin d'une civilisation. »

Je remarquai que les bâtiments d'Atlantis étaient
entourés de murs. Autour des palais, il y avait des
douves et des ponts-levis. Au-dessus des remparts,
près des maisons, on avait construit des terrasses de
terre et d'argile qui supportaient une végétation
variée.

Les entrées des demeures étaient dissimulées sous
des corniches de pierre ornées de vigne vierge et de
plantes grimpantes.

– Viens d'abord chez moi, dit mon père. Tu pourras
te reposer et méditer et ensuite tu te rendras à la
maternité. Tu es d'accord ?

178

J'acquiesçai de la tête, en constatant qu'il m'était difficile de prononcer des mots.

– J'habite là, dit mon père, au second étage.

Chaque appartement disposait d'une véranda où trônaient d'énormes vases emplis de plantes odorantes. Le jet des fontaines rafraîchissait l'air. Le gazouillis d'oiseaux tropicaux aux plumages brillamment colorés nous accueillit. Mon père me fit signe d'entrer. A l'intérieur, une lampe cylindrique diffusait une lumière douce. La pièce, à peine meublée, avait un aspect spartiate. Des tapis de méditation étaient posés sur les dalles de marbre.

– Demeure en paix, me dit mon père. Je sors un moment.

Je souris et lui dis au revoir.

Assise en position du lotus, je sentis au bout d'un moment qu'on m'attendait à la maternité.

Je quittai l'appartement en espérant que mon père ne serait pas déçu de mon absence.

Je remarquai en route de nombreuses femmes enceintes. Je me demandai si elles désiraient comme moi améliorer la société.

Je savais où aller bien qu'il n'y eût pas d'indications. J'entrai dans une grande pyramide en cristal à côté de la structure de la maternité en forme de dôme.

Dans le hall en cristal, je fus accueillie par trois extraterrestres à la peau translucide et deux Lémuriens qui se présentèrent comme des experts en génétique. Nous nous frappâmes les paumes des mains. Je les suivis dans une pièce remplie d'une buée bleue. Deux formes en cristal délicatement sculptées, grandeur nature, montrant les différentes parties du corps humain, du cerveau aux organes génitaux, étaient posées sur une table en marbre. Je n'avais jamais encore vu les organes génitaux séparés en deux sexes. Cela me procura une sensation étrange jointe à une certaine solitude.

Deux assistants me conduisirent vers un aquarium en cristal empli du même liquide doré que j'avais vu à Lemuria. Je regardai mon ventre, essayant de communiquer avec l'âme nouvelle qui y résidait.

Un Conseil, composé des plus anciens extraterrestres, de Lémuriens et d'Atlantéens, formait un demi-cercle. Ils me saluèrent chaleureusement, en me félicitant pour mon courage. Je répondis en rendant grâces à l'Esprit divin et en disant que j'espérais pouvoir être spirituellement à la hauteur.

Les membres du Conseil se levèrent et lentement, selon le rituel, ôtèrent leurs habits. Je les imitai. La moitié du groupe était androgyne, l'autre, pas. Je pénétrai dans l'aquarium.

Les anciens s'assirent. Je reposai paisiblement dans le liquide doré. Le membre le plus âgé du Conseil dit :

– Commençons.

Ils s'assirent en position du lotus autour des sculptures de cristal. Bientôt, ils lévitèrent ensemble, leurs chakras et leurs auras irradiant une lumière blanche, transférant leur énergie aux formes en cristal. Du troisième œil de chaque individu, au centre de son front, un rayon de lumière illumina les formes de cristal sur la table.

Alors, avec une accélération électromagnétique, les rayons convergèrent sur moi. Je sentis l'énergie collective m'envahir. Le moment de ma « coopération » était arrivé. J'étais excitée mais confiante. Je cambrai mon corps vers les arcs lumineux. Le liquide doré s'illumina.

Lentement, je sentis mon corps se dilater au niveau des épaules, brièvement disloquées. Sans douleur. Je courbai mon corps en avant. Une grosse bosse se forma sur mes épaules. Les anciens accélérèrent leur énergie par leur troisième œil. Je sentais leur pouvoir. Tout en me relaxant, je me courbai davantage en avant jusqu'à sentir une seconde colonne vertébrale se former le long de mon dos. Je respirai profondément pour contrôler mon angoisse; mais mon esprit demeurait calme. En même temps, le battement de mon cœur s'accéléra. Il devint évident que j'avais maintenant deux pouls et deux cœurs.

Ensuite, j'eus conscience du dédoublement de mes organes internes. Je serais bientôt deux personnes distinctes. Sur le côté gauche de ma poitrine, deux seins se formèrent. Mes cuisses se dédoublèrent. Du côté masculin, elles étaient fermes et musclées. Du côté féminin, elles étaient souples et minces. L'énergie atteignit mon ventre. Avec une douce ondulation, mon abdomen se scinda en deux. L'un rond et féminin, l'autre plat et musclé. J'entrai dans une profonde méditation.

Avec mon œil intérieur, j'assistai à la séparation de mes organes sexuels. Le pénis, du côté mâle de mon corps, l'utérus et le vagin, du côté femelle. J'éprouvai un sentiment d'aliénation, d'anxiété et de perte. L'énergie des Anciens se concentrait maintenant sur le cerveau des deux formes de cristal, accélérant leur fréquence lumineuse. Je me courbai en avant jusqu'à toucher les arcs de lumière intense. Alors, deux têtes se formèrent. Je me sentis chavirer. Je perdais mon identité. Mes traits se transformaient à mesure que ma tête se divisait en deux. Je compris que l'âme du fœtus dans mon ventre s'était incarnée dans une forme féminine tandis que mon visage originel était devenu masculin. Mon âme androgyne vivrait à présent sous la forme d'un mâle.

La division des sexes était presque achevée. Les deux corps étaient encore reliés par les côtes. Lentement, les os se séparèrent en créant deux corps complets – l'un mâle (moi) et l'autre féminin (mon âme sœur).

Ève était née de la côte d'Adam.

Aussitôt, le Conseil des Anciens interrompit son flux d'énergies, ne laissant derrière lui que la trace d'une aura. Épuisés, ruisselants de sueur, ils venaient d'initier une aube nouvelle pour l'humanité – le masculin et le féminin. Je perdis connaissance. Les images s'évanouirent.

Je sentis le soleil briller sur mes yeux fermés. C'était chaud et réconfortant. Je les ouvris. J'étais couchée dans un champ en Espagne. Quelques vaches paissaient plus loin. Je me réveillai et émergeai de mon sac de couchage. Je tâtai mes bras et mes jambes. J'étais entière.

Je sentis mes seins et mes hanches. Oui, j'étais toujours une femme.

Je baissai mon short et je fis pipi. Cela aussi c'était réel. Je me relevai et clignai les yeux au soleil. Que signifiait cette vision ? Avais-je été divisée en deux ? Ensuite étais-je devenue un homme ?

Il était évident que dans le monde d'aujourd'hui, la plupart d'entre nous cherchaient un compagnon ou une compagne qui pourrait refléter la partie manquante d'eux-mêmes. Ce désir s'exprimait dans la littérature, les chansons, les plaisanteries, la religion et même la quête spirituelle. Ce que je recherchais, était-ce cette séparation de mon moi originel ? Non pas tant la recherche d'un compagnon que la réunion avec un esprit équilibré qui refléterait l'énergie divine de la déité ?

L'équilibre était la clé : l'équilibre du masculin et du féminin en moi qui refléterait l'équilibre et l'harmonie de mon âme.

Était-ce ce que les bouddhistes nomment la « Voie du milieu » ? En y réfléchissant, les représentations du Bouddha que j'avais pu voir me semblaient androgynes.

La sexualité n'était pas la clé – c'était l'équilibre. Ce que nos âmes avaient expérimenté pendant des mil-

lions d'années faisait partie de notre mémoire génétique.

Je me tenais debout, face au soleil, les yeux fermés.
Quelque chose m'incita à les ouvrir. Un homme
s'avançait vers moi. J'essayai d'avoir l'air absorbée
dans mes pensées, mais il s'approcha et dit :

– Bonjour ! Puis-je avoir votre autographe ?

17

Il me dit que son nom était Juan et qu'il désirait me parler. Je lui donnai un autographe, lui indiquai que je n'avais pas envie de m'exprimer et m'enroulai dans mon sac de couchage.

Il se mit à parler sans arrêt bien que je tente d'ignorer sa présence. Son frère avait été kidnappé par des extraterrestres et enlevé dans un ovni. Il ajouta que leur message à son frère était que la souffrance était un conditionnement que les humains croyaient mériter et qu'ils estimaient nécessaire à la vie humaine – cependant, nous avions tort.

– La souffrance est une méthode pour institutionnaliser le contrôle moral. Elle est fondamentalement une mémoire génétique du passé mais qui n'est pas inhérente à notre configuration génétique, dit-il. Si l'on pouvait effacer cette croyance, il n'y aurait plus ni guerres, ni conflits, ni assassinats, ni famines.

J'écoutais distraitement puis je levai les yeux sur lui.

– Bien sûr, pauvre idiot, mais comment faire ? Je n'ai pas envie d'avoir une conversation avec vous, sur le karma, les ovni, ni la souffrance humaine.

– Mais vous connaissez ces choses, dit-il. J'ai lu vos livres.

– Je ne sais rien, dis-je. Je ne suis même pas sûre que je marche en direction de Cebreiro en ce moment. Suis-je sur le bon chemin ?

– Oui, dit-il.

– Est-ce que j'affabule quand j'affirme que je marche ?

– Que voulez-vous dire ?

– Je ne sais pas. Je ne sais pas ce que tout cela signifie. Je ne suis même pas sûre d'être en vie !

Ce Juan continua à marcher avec moi. Je n'avais pas le courage d'aller plus vite que lui. J'en étais réduite à l'écouter et à répondre à ses questions. Il voulait surtout parler de Hollywood. Il était convaincu que les films de Hollywood étaient inférieurs aux films européens. Je grimpai sur la montagne et le perdis bientôt, au-dessus d'une mer de nuages. Je me souvins du conseil de mon père : « Celui qui marche seul marche plus vite. »

A l'un des refuges, je trouvai un message d'Anna. Elle m'attendait à Santiago. Consuelo, la chanteuse brésilienne, avait deux jours de retard.

Je retrouvai au refuge une autre Brésilienne que j'avais rencontrée quelques semaines auparavant. Elle était contaminée par l'eau non potable. Elle était couchée auprès d'un homme malade, lui aussi. Chacun était marié de son côté.

– Le Chemin a opéré sa magie, dit-elle. J'aime mon mari, mais je n'ai jamais eu besoin de lui. Maintenant, je m'aperçois que j'ai besoin d'un homme. Cette liaison ne durera pas plus longtemps que le Chemin, mais quand je retournerai auprès de mon mari, je sais que j'en aurai besoin.

Comment pouvait-on trouver l'énergie, malade, pour faire l'amour cinq ou six fois par jour sur le Chemin, cela dépassait mon entendement ! Il fallait être malade. Ce qu'elle était.

Je m'installai près de la rivière et me mis à feuilleter le seul livre en ma possession – le Nouveau Testament. Je tombai au hasard sur le verset 24 de l'Évangile selon saint Matthieu : « Et vous entendrez des guerres et des rumeurs de guerre... Les nations se soulèveront contre les nations, les royaumes contre les royaumes, et il y aura des famines et des tremblements de terre... » Étions-nous en train de nous préparer un cataclysme ?

Je regardai un hélicoptère qui traçait des cercles autour de moi. Oh ! mon Dieu ! Je savais pourquoi. Mais une embuscade par la voie des airs allait trop loin !

Je courus me réfugier dans un monastère voisin mais on ne m'ouvrit pas la porte. J'étais piégée, dehors. Je refermai mon Nouveau Testament et restai là, immobile, en attendant ma prochaine révélation. Les journalistes sautèrent hors de l'hélicoptère en me harcelant de questions et en me mitraillant avec leurs flashes. Je restai silencieuse. Je me transportai dans un autre lieu et un autre temps (ce qui n'était pas difficile). Les reporters en étaient gênés. Un moine du monastère sortit enfin et me conduisit à l'intérieur d'où je restai assise à contempler la presse pendant deux heures (un repos bien mérité).

Le moine me fit sortir par une porte de derrière et me conduisit vers un petit restaurant.

Les journalistes me poursuivirent jusque-là. Ils me provoquaient dans la salle à manger, parlant fort et renversant des objets sur la table. Je ne disais rien, tranquillement assise en train de grignoter du pain. Du bon pain frais. Ils n'eurent pas de reportage, pas d'interview, que des photos assommantes où *ils* paraissaient méchants.

Je me rendis compte que les journalistes savaient que j'aurais bientôt achevé le pèlerinage de Compostelle. Ils seraient partout. Que faire ? J'étais déterminée à ne rien leur donner. Ils pouvaient écrire que je revenais de l'enfer, je n'en aurais rien à faire.

A ce moment, Carlos et Ali, accompagnés par *Juan*, pénétrèrent dans le petit restaurant. Qui était ce Juan ? Carlos menaça les reporters de son bâton et Ali leur cria des injures. Il me semblait bon d'avoir des amis en colère. Moi-même, je n'en avais plus le pouvoir. Mais je m'aperçus qu'échapper à la presse deviendrait maintenant un jeu pour moi. Les journalistes m'avaient poursuivie jusque dans les cryptes des églises, avaient fait irruption sous ma douche dans les refuges, et m'avaient provoquée dans la rue et les restaurants. Étais-je si impuissante ? Non, j'allais m'amuser.

La compréhension spirituelle et l'aboutissement d'un long et dur pèlerinage allaient-ils devenir une aventure pour échapper à ceux dont les frustrations augmentaient parce que je ne leur avais pas adressé la parole ? Les villageois m'avaient dit que les reporters de la radio et de la télé avaient parié qu'à la fin, leurs films muets seraient accompagnés par une interview approfondie. Ceux qui avaient survécu au Chemin ne pouvaient résister au désir de s'en vanter. Je me demandai si l'un d'entre eux avait expérimenté son voyage intérieur.

J'étais déterminée à parvenir à Saint-Jacques-de-Compostelle sans avoir donné une interview. Et je ne laisserais pas les journalistes m'empêcher d'achever mes leçons tirées du passé.

Juan dit qu'il connaissait un ami du maire qui m'aiderait. Il s'appelait José. Nous engageâmes José en le chargeant de me rencontrer à l'entrée des quatre prochaines villes pour me les faire traverser en voiture. Cela impliquait que les reporters seraient obligés de sillonner la campagne pour me découvrir. Leur échapper devenait un défi et un jeu pour nous.

Il me restait encore cent quinze kilomètres à parcourir avant d'atteindre Compostelle.

Juan téléphona à José qui amena sa voiture au restaurant. Je m'enfuis par la porte de derrière jusqu'à la voiture de José. Je me présentai et le remerciai. Carlos, Ali et Juan restèrent dans la salle du restaurant pour donner le change pendant que José me conduisait à travers Sarria. Je m'arrangeai avec lui pour qu'il me retrouve avant Portomarin.

Il me déposa hors de la ville et je me perdis de nouveau. Les flèches jaunes paraissaient différentes dans cette partie de l'Espagne. Je ne trouvai aucun repère. Je ne voyais dans mon esprit que des visages de journalistes. Je revins sur mes pas, demandai ma route à une femme dans sa maison. Elle me hurla des injures. Je m'enfuis en courant. Au lieu de pleurer, je me sentais encore plus déterminée.

J'arrêtai plusieurs voitures pour demander où étaient les flèches du Chemin. Les gens ne savaient pas de quoi je parlai. C'était comme si je me trouvais sur une autre planète, et que le pèlerinage n'existait pas. Un homme sortit enfin une carte et pointa le doigt vers une église. Mais il n'y en avait pas. Une vieille dame s'approcha. Elle me dit de chercher un bosquet d'arbres, je découvrirais une flèche jaune sur un rocher non loin de là. Je la remerciai et je partis à la recherche de la flèche jaune. Je trouvai le bosquet. Deux énormes chiens sous les arbres grognaient, menaçants. La vieille dame les rappela. Ils lui obéirent. J'aperçus bientôt la flèche. Je trouvai une cabine téléphonique isolée d'où j'appelai Kathleen. Nous parlâmes de sa santé, puis je lui dis que j'avais eu des visions troublantes de vies antérieures. Elle respectait ma curiosité spirituelle mais ne croyait pas à ces réminiscences. Ensuite, elle dit ce que j'avais besoin d'entendre :

– Tu as toujours eu une intelligence rapide. Mais ces problèmes sont difficiles pour toi. Tu ne peux pourtant tout comprendre, n'est-ce pas ? N'est-ce pas la leçon ? Regarde-moi. Je ne comprends pas pourquoi je meurs, sauf que mon mari mort a besoin de moi.

Comment pouvais-je lui dire ce que « j'apprenais » ?

Je marchai jusqu'à un refuge. Dehors, deux hommes étaient très mécontents de ne pouvoir entrer. Ils voulaient de l'eau. Ils voulaient se coucher. Ils étaient furieux. Je décidai de ne pas m'arrêter.

Je pressai le rythme. Et je songeai à la prochaine visite de John que j'attendais. Je voulais apprendre et voir encore, mais je voulais aussi achever le pèlerinage et quitter l'Espagne.

J'avais laissé mon sac à dos dans la voiture de José. Je songeai à de petits plaisirs terrestres comme de m'asseoir, boire des litres de limonade ou déguster des repas français avec sept plats. Je ressentais le désir de gagner des tonnes de fric si je vivais très vieille afin d'être à l'abri de la pauvreté que j'avais aperçue dans les villages que j'avais traversés. Oui, je gagnerais plein d'argent et j'en donnerais le maximum aux pauvres. En même temps, je me promis rageusement de ne plus m'empiffrer. Je prendrais soin de mon corps car il formait ma voie vers Dieu. Et je travaillerais sur mon impatience devant ce que je ne comprenais pas.

Je marchai si vite que mes chevilles s'enflammèrent. Devant moi, sur le sentier, je devais traverser des buissons en fleurs bourdonnant d'abeilles. Je me couvris de ma moustiquaire et bravai la terrible beauté de la nature parmi des milliers d'abeilles qui voletaient autour de mon visage.

Quand j'arrivai au restaurant en dehors de Portomarin, Ali, Carlos et Juan m'attendaient. José n'était pas là et il avait mon sac à dos.

Juan était un homme négatif. Son frère ne lui avait pas communiqué la positivité extraterrestre. Il se plaisait à contester la nourriture, le soleil, les décisions. J'entamai diplomatiquement avec lui le sujet de sa négativité parce qu'il était difficile de lui parler. Il me remercia de le lui faire remarquer. Il continua en affirmant qu'il n'y avait nulle part autant de cafés où les gens se disputaient pour des riens, qu'en Espagne. Il disait que la répression sous le régime fasciste de Franco avait accumulé des frustrations chez les gens qui avaient été libérés récemment. Bon. Il refusait d'admettre que Franco, c'était vieux de vingt ans. Ensuite, Juan appela José au téléphone. Celui-ci arriva bientôt. Je me demandai comment Juan savait où il se trouvait.

José me conduisit à Portomarin où je constatai que la presse et les caméras de la télé m'attendaient, sans se douter que j'étais en voiture. Il me fit traverser la ville. A la périphérie, je sautai de la voiture et je continuai à marcher tandis que les journalistes restaient derrière moi.

Le Chemin me semblait maintenant une méditation en mouvement sur ce que j'avais appris en mon for intérieur. Je savais que c'était la fin d'une partie importante de ma vie et le commencement d'une nouvelle existence. S'il y avait eu en effet, une époque dans l'histoire humaine, au cours de laquelle les humains avaient davantage de conscience du divin, je tenterais de la faire revenir par la mémoire dans ma vie de tous les jours, et de m'en servir.

Si le Jardin d'Éden avait été perdu, j'essaierais de le retrouver. Si d'autres espèces terrestres avaient elles-mêmes cherché le sens du divin, je prêterais plus d'attention aux ovnis et à la raison de leur venue. Et s'ils étaient venus pour nous aider, mais qu'ils avaient d'abord besoin d'être reconnus, j'étais prête à le faire aussi.

Si nous étions androgynes à un moment donné, je cesserais d'avoir des préjugés sur les préférences sexuelles des gens. Si l'énergie du Chemin avait amplifié pour moi toutes ces mémoires, je lui ferais confiance.

Je marchais vers la fin du monde connu, mais j'avais des souvenirs du monde inconnu. Les saints et les pêcheurs, les rois et les reines et les soldats qui avaient suivi ce Chemin avaient peut-être été hantés par les mêmes souvenirs d'un temps qu'ils souhaitaient retrouver. Peut-être qu'aucun de nous ne voulait que notre civilisation moderne subisse le destin de celles qui nous ont précédés.

La presse ne savait jamais exactement où je me trouvais grâce à l'arrangement que j'avais conclu avec José. Je m'étais acheté de nouveaux vêtements et n'avais plus le sac à dos familier. Je portais un nouveau chapeau et mon sac de couchage roulé sous le bras. José avait entendu dire que les reporters fouillaient de nombreux refuges. Les pèlerins leur donnaient de fausses informations sur les lieux où je me trouvais. Notre jeu du chat et de la souris incluait de nombreux complices. Je dormais soit dehors, soit dans la crypte d'une église abandonnée, jamais plus de cinq heures.

Un reportage radio, repris par la télé, annonçait que j'étais accompagnée par quelqu'un qui enregistrait nos discussions et que leurs auditeurs les entendraient bientôt. Ali et Carlos apparaissaient de temps en temps avec José. Ils disaient qu'ils se méfiaient de Juan. Ils voulaient me protéger contre lui. Je voulais attendre et voir.

Je suis fascinée par le fait que la renommée stimule la paranoïa bien intentionnée de ceux qui se prennent pour des amis et des protecteurs de gens connus. Ils paraissent admirer une célébrité qui ne désire pas de publicité. Dans chaque village les gens aux fenêtres criaient : « *Ultreya !* » Le tam-tam local me donnait un grand soutien moral.

Un jour, en traversant une ville dans sa voiture, José me parla de la vie en général. Il me demanda pourquoi j'accomplissais le pèlerinage.

191

– Pour le terminer, dis-je.

Il me demanda si j'étais catholique. Je répondis non. J'avais ma religion personnelle. Il me demanda ce que c'était. N'ayant pas d'explications logiques à lui donner, j'éclatai de rire et lui demandai s'il était catholique, lui.

– Oh! oui, dit-il. Pratiquant.

– Vous êtes marié?

– Oui.

– Avez-vous des aventures?

– Bien sûr.

– Et les règles de l'Église, alors?

– Ça n'a rien à voir avec cette partie de ma vie. Si j'ai un délicieux repas devant moi, je le mange. Alors, s'il y a une belle femme... Je ne mens pas. Je dis toujours la vérité.

– Vous en parlez à votre femme?

– Bien sûr que non! J'ai deux maîtresses.

– Oh! dis-je. Et comment sont-elles?

– Mariées toutes les deux.

– Ça vous ferait quelque chose si votre femme avait un amant?

– Non. Je l'aime.

Pas étonnant que les cafés soient pleins de gens qui se disputent pour un rien.

José me laissa en dehors d'Arzua. Je n'avais plus beaucoup de chemin à faire – moins de quinze kilomètres pour arriver jusqu'à Saint-Jacques-de-Compostelle. Nous étions le 2 juillet et John l'Écossais ne m'avait plus contactée depuis la nuit dans le champ de blé. Je ne me rappelais plus la date précise. Je planais dans un autre temps. Je savais à peine où j'étais.

A la fin de la journée, je trouvai un refuge abandonné. Il sentait le moisi, ce qui m'évoquait des souvenirs. Les souvenirs prenaient maintenant pour moi une odeur. J'avais l'impression qu'à présent, je pouvais entendre les couleurs et voir les sons.

192

J'ouvris la porte grinçante. Des couchettes défoncées ressemblaient à un ancien décor. L'une des couchettes supérieures avait encore des ressorts. Je traversai le sol sale qui avait dû être piétiné par de nombreux pieds couverts d'ampoules. Mes ampoules ne me concernaient plus. Deux souris trottinèrent devant moi.

Je grimpai dans la couchette supérieure et déroulai mon sac de couchage. J'enlevai mes bottines et je les suspendis par leurs lacets.

Rampant dans mon sac de couchage, tout habillée et aussi sale que le refuge, je m'endormis aussitôt. Je savais que John viendrait parce que je prenais mon temps et que je ne me souciais pas de la presse. Ils ne me chercheraient pas ici.

En sombrant dans le sommeil, je me laissai aller.

Je courus dans le tunnel de lumière – à présent familier – et au bout, je me retrouvai encore une fois dans la pyramide de cristal d'Atlantis.

18

La salle de cristal, embuée, se dessina ensuite clairement dans ma mémoire. Je pris conscience d'un liquide tiède et doré dans lequel je baignais. Je me souvins que je venais d'achever ma division sexuelle et que j'étais maintenant un mâle. Je bougeai le torse en ne sentant qu'une vague courbature. J'essayai de sourire mais me sentais trop étrangère à mon corps. Je flottais – de cela j'en étais sûre –, et je jetai un coup d'œil sur le nouveau corps à mes côtés. Je vis qu'elle me reconnaissait. J'étouffai une exclamation de surprise. En comparant nos organes sexuels, je constatai que ma moitié féminine manquait.

Je me sentais incomplet(ète) physiquement. Mentalement et spirituellement, mon âme et mes sentiments spirituels demeuraient androgynes. C'était fondamental : inhérent, intrinsèque, primaire, primitif – vrai et naturel. Mais j'étais plus conscient(e) de mon corps que je ne l'avais été en Lemuria et cette séparation me donnait la sensation désagréable de ne pas être entier(ère). J'avais un besoin désespéré d'être avec ma compagne dans la piscine, mon âme sœur. Je voulais savoir ce qu'elle sentait, ce qu'elle pensait de moi. Je voulais *être* elle. Cela signifiait que je désirais être de nouveau entièrement moi-même. Je voulais la posséder comme je voulais me posséder moi-même. La contrôler de la même manière que je souhaitais retrouver la maîtrise de moi. J'étais dans la confusion la plus totale. Je communiquai ces impressions au Conseil des Anciens. Ils répondirent que c'était naturel : il me fallait prendre patience.

Mon âme sœur, étendue épuisée à mes côtés, était aussi étonnée que moi de son nouveau corps et de son environnement. Elle venait d'être réincarnée dans le corps d'une femme adulte. Il lui fallait s'ajuster à sa nouvelle condition et à ses limites : être uniquement femelle comme moi j'étais uniquement mâle.

Elle me sourit faiblement tandis que plusieurs assistants nous sortaient de la piscine en nous soulevant avec précaution. Ma compagne avait la peau couleur de miel, de grands yeux bruns et un visage à l'ossature finement sculptée, avec un menton volontaire. Ses cheveux étaient châtain foncé. Elle était donc l'âme sœur qui s'était volontairement laissée « mourir » dans la piscine de maternité à Lemuria et que je rencontrerais plus tard sur le Chemin dans la personne de Charlemagne en 790 après Jésus-Christ, et qui deviendrait, au vingtième siècle, Olaf Palme.

Les aides nous placèrent doucement sur des chariots en cristal qui roulaient l'un à côté de l'autre, de sorte que nous n'étions jamais séparés. Je lui tendis mon nouveau bras. Elle me prit la main. Je la trouvai réconfortante. Je me sentais protégée par sa chaleur et sa douceur. On pouvait être en sécurité avec elle. Même en étant vulnérable, elle m'apporterait les qualités qui me manquaient. Je sentais que je serais pour elle un compagnon exemplaire.

On nous roula dans une pièce équipée de scanners munis d'écrans de cristal, où les assistants examinèrent nos corps en quête d'éventuelles malformations. Ils n'en trouvèrent pas. La scission s'était effectuée sans problème. Nous étions prêts pour un programme d'ajustement sexuel.

Au bout d'un temps indéterminé de repos, d'accords de musique, de méditation, de massages aux huiles essentielles et de transmission d'énergie collective du Conseil des Anciens, elle et moi commençâmes à nous livrer à une pratique d'exercices tantriques.

On nous conduisit dans une chambre où nous serions seuls, afin de nous découvrir, après avoir reçu des instructions élémentaires d'éducation sexuelle.

Bien qu'ayant des corps d'adultes depuis notre division, nous étions sexuellement vierges l'un et l'autre. Nous avions eu l'expérience de la grossesse sans avoir eu d'expérience sexuelle. Nous étions des êtres androgynes sans système anti-stress constitué afin de faire face aux complexités de deux sexes opposés. Ainsi le tantra avait-il été inventé pour initier des adultes sans conscience sexuelle à l'origine.

On nous dit que le but de la sexualité était de créer une intimité avec un autre humain, qu'elle formait un dialogue – télépathique, hormonal, spirituel – entre deux êtres par les centres énergétiques des sept chakras, sur un plan physique aussi bien que mental.

La sexualité devait être le langage pour faire émerger l'âme. Elle nous rapprocherait de la divinité. Ainsi l'intimité avec un autre humain qui fait partie de la divinité nous met-elle en contact avec le divin.

Nous nous retrouvâmes, elle et moi, dans une pièce éclairée d'une lumière tamisée violette. Au centre se trouvait une petite piscine enfoncée dans le sol, emplie d'eau chaude et huileuse. On nous expliqua que ce liquide était l'extension naturelle des fluides sécrétés par le corps durant ses ébats sexuels.

La piscine était constituée d'une sorte de papyrus qui conservait la chaleur de l'huile.

Nous nous laissâmes silencieusement glisser dans l'eau caressante et nous nous aperçûmes qu'elle était très profonde.

A partir de notre entraînement antérieur à Lemuria et de la maîtrise de nos corps, nous comprîmes qu'en aspirant de l'oxygène et en ralentissant notre pouls métabolique, nous serions capables de nous contempler sous l'eau avec une clairvoyance de rayons X. Nos auras physiques seraient plus visibles dans l'eau huileuse qui agissait en conducteur d'énergie.

Avec une profonde respiration et en nous tenant par la main, paume contre paume, nous tombâmes doucement au fond de la baignoire. Ce qui suit se passa pendant plusieurs mois. Il fallait pratiquer les excrcices tantriques tous les jours.

Prenant la posture du lotus, nous nous contemplâmes tendrement en commençant par absorber visuellement nos nouveaux corps. Commençant par la tête, nous avons isolé nos cheveux, nos yeux, la forme de nos nez, la courbe de nos lèvres et la longueur de notre nuque. Nous avons remarqué que simultanément nos chakras respectifs s'illuminaient.

Je me concentrai sur son cœur. Je voyais l'aura verte de son chakra scintiller. Mon propre cœur avait la même fréquence que le sien. Je trouvais sa vibration très agréable et désirais confirmer mon attirance en la touchant, mais nos instructions étaient d'attendre. D'attendre que je me familiarise avec chaque partie de son corps et elle, du mien.

En descendant le long de son corps, je constatais que le sang affluait dans chaque organe que j'isolais. Elle découvrit la même chose chez moi.

En raison de nos pratiques de respiration yoga, nous avions une capacité en réserve d'oxygène qui nous permettait de rester longtemps sous l'eau. Notre paix psychique nous procurait un pouls d'un battement de cœur à la minute. Cette lenteur du rythme métabolique nous empêchait de vieillir. Nos maîtres nous rappelèrent que nous avions appris à contrôler chacun de nos organes. Les enfants lémuriens avaient appris ces techniques dès la naissance de la même manière dont nous apprenons à nos enfants le contrôle de la vessie et des intestins. Les Lémuriens donnaient à leurs enfants des jouets en cristal de la forme des différentes parties du corps afin qu'ils comprennent leur relation avec le plaisir.

Peu à peu, je devenais conscient de l'afflux sanguin dans les organes génitaux de ma partenaire. Tandis qu'elle réagissait à ce qu'elle voyait chez moi, je sentais mon propre flux sanguin augmenter. C'était une sensation plaisante et réconfortante. J'éprouvais le désir de l'encourager à s'ouvrir afin que je puisse la pénétrer. J'étais aussi conscient de ses centres énergétiques intérieurs. Tandis que mon regard allait du chakra de son cœur à celui de son sexe, j'éprouvais un plaisir égal. La combinaison des deux me procurait une sorte d'extase.

Les Anciens disaient que le corps entier était érogène car si une partie du corps réagissait par une stimulation sexuelle, c'était parce qu'elle avait besoin d'une concentration spirituelle. Ainsi, le processus sexuel serait aussi bénéfique pour ma santé spirituelle que pour ma santé physique, parce qu'il utilisait une énergie vibratoire.

Tandis que les semaines et les mois s'écoulaient, je sentais que ma partenaire commençait à s'abandonner. Ma propre identité se fondait en elle jusqu'à former une nouvelle identité d'unité entre nous deux. Encore une fois, je désirais « être » elle car je voulais expérimenter l'autre moitié de moi-même qu'elle était devenue.

Au bout de longs mois, je la serrai dans mes bras. Je soupirai de soulagement. Lentement, elle avança son bassin vers moi. Je la soulevai et la posai sur mes cuisses tandis qu'elle m'entourait de ses jambes. Je l'attirai plus près. Ensuite nous nous caressâmes les yeux, les oreilles, les lèvres, les cheveux, le torse et les hanches – jusqu'à ce que, presque sans effort ni intention, elle ouvrît ses cuisses et je la pénétrai. Aucun de nous ne remua. Il n'y eut pas de brusque poussée, seulement un rythme doux d'expansion et de rétraction. Nous étions plongés l'un dans l'autre : elle m'entourait et j'étais rempli. Nous expérimentions pour la première fois un renoncement de personnalité. Une force puissante nous portait tandis que nous succombions à son énergie cosmique.

Ensuite, nous avons expérimenté sans effort notre premier orgasme – le relâchement de la tension physique apportée par la combustion de sensations partagées. Nous vîmes des étincelles d'énergies provoquées par nos orgasmes mutuels qui touchaient au divin. Chacun déversait de la vie dans l'autre et atteignait ainsi une sorte de divinité.

Nous nous aimions depuis le passé et nous étions assez évolués spirituellement dans le présent pour nous en souvenir. L'une des conséquences de la division sexuelle était que nous avions désespérément besoin l'un de l'autre.

L'attirance des contraires était excitante. La vie sur un plan purement physique nous semblait heureuse.

C'est ainsi que nous, deux Lémuriens d'origine, faisions maintenant partie de la nouvelle civilisation atlantéenne.

Notre vie de couple commença dans une maison spartiate et un environnement paisible. Nous écoutions de la musique et des sons harmonieux, nous méditions ensemble pendant de longues heures et développâmes notre connaissance tantrique de la sexualité.

Bientôt ma compagne fut enceinte et donna naissance à un petit garçon, établissant ainsi une descendance qui perpétuerait la division sexuelle à travers les âges. Nous formions un couple parfait et nous acquîmes ensemble de plus en plus de connaissances. Nous sommes devenus obsédés de la culture... connaissance de la technologie, connaissance de l'art, connaissance de la littérature. (Nous n'utilisions à présent que le langage parlé.)

Ma compagne et moi-même constations que plus nous étions informés et cultivés, plus nous étions éloignés de notre but spirituel – il en allait de même pour le reste des habitants d'Atlantis.

Nous commençâmes à perdre nos identités spirituelles. Impliqués dans nos identités mâle et femelle, nous perdions en perdant le contact avec nos âmes androgynes et spirituelles. Nous, les Atlantéens qui aurions pu progresser dans notre évolution vers la perfection, à la suite de notre division sexuelle, nous nous sommes laissé séduire par les plaisirs sensuels et par les valeurs intellectuelles. Nous avons perdu nos origines divines.

Les extraterrestres avaient tenté d'accélérer le processus de réalisation divine par la division des sexes. Ils réussiront peut-être quand l'humanité sera prête.

Tandis que je me détournai de la spiritualité, je devins sujet aux émotions. En tant qu'androgyne, j'étais un être sensible mais non émotionnel. Par exemple, je ne pleurais jamais parce qu'il n'y avait pas de quoi pleurer. Je n'avais pas peur de la mort puisque la mort n'existait pas. Elle représentait la fin de l'enveloppe corporelle.

Je n'avais eu ni partenaire, ni mari, ni femme. Je n'éprouvais pas de confusion au sujet de mon identité parce que le yin et le yang de ma personnalité étaient équilibrés. C'est pourquoi j'avais atteint un tel niveau de spiritualité.

A présent, j'étais conscient de profondes transformations psychologiques en moi comme dans le comportement des gens autour de moi. Nous nous sentions aliénés les uns des autres et de nous-mêmes. Pour la première fois, nous éprouvions la douleur des émotions humaines.

Nous avions perdu le contact avec Dieu et la divinité en nous-mêmes. De notre malaise, se développa une sorte de violence. Nous étions frustrés et anxieux... puis en colère – surtout contre nous-mêmes.

Notre vie de famille devint difficile parce que nos conflits personnels réagissaient aux conflits de l'autre. La polarisation de nos sexes devint évidente. Une peur et une hostilité se développèrent auxquelles nous n'avions jamais été habitués. Notre fils devint aussi confus et anxieux que nous. Je commençai à avoir peur de la mort.

Aliéné de ma quête spirituelle et frustré, je décidai de retourner à la mère patrie, auprès de mon maître John... à Lemuria. J'abandonnai ma partenaire, ainsi que ma famille, ma promesse et mon but originel.

Lorsque je retournai à la mère patrie, je constatai la même dégradation qu'à Atlantis. La spiritualité collective disparaissait. L'égoïsme avait touché les différentes classes d'une société qui auparavant n'en avait pas.

Le Jardin d'Éden n'était plus. L'homme avait détruit son harmonie. Et avec la destruction de l'harmonie spirituelle, l'harmonie écologique se désintégrait car elles avaient toujours été connectées.

Au bout de cinq mille ans d'une magnifique civilisation, la Terre criait : assez ! A cause de la poussée de la gravitation astronomique et astrologique et parce que les fréquences des peuples de la Terre n'étaient pas assez harmonieuses pour résister, la Terre a implosé. Manifestation de la déité pour purger la corruption.

Au cours de l'alignement des planètes qui se produit tous les 6 666 ans, la Terre avait toujours résisté à l'attraction de la pesanteur parce qu'elle avait eu

201

l'appui psychique et électromagnétique des êtres supérieurs. Maintenant, avec la désintégration de l'harmonie humaine, la Terre, organisme vivant, n'avait plus d'appui supérieur. Les fréquences magnétiques de la plaine, de la montagne et des volcans furent dérangées. L'équilibre fragile entre la Terre et les énergies mentales fut perturbé. C'est pourquoi, lorsque l'alignement des planètes se produisit, les manques d'harmonies terrestres se manifestèrent en tremblements de terre et en raz de marées.

Quand je constatai la désintégration de la société lémurienne que j'avais appréciée, avec la corruption et l'écroulement des grandes communautés, je commis une faute grave.

Le continent de Lemuria sombra dans l'océan Pacifique comme un vieux dinosaure, trop faible pour survivre.

Je voyais Lemuria mourir, mon maître mourir et dans un acte final d'autodestruction karmique, je me suis suicidé.

Mon suicide n'était pas simple. Je projetai mon âme sur le plan astral en laissant mon nouveau corps derrière moi, mon cordon ombilical d'argent intact. J'observai le cataclysme qui se déroulait sous moi. Des millions de gens mouraient, leurs âmes s'envolaient vers des mondes astraux supérieurs. Désespéré, je tendais les bras :

– Attendez ! criai-je. Je veux aller avec vous.

Lorsque je vis passer l'âme de mon maître John dont le corps avait été écrasé sous les piliers du Temple du Savoir, j'ai paniqué.

Mon maître avait accepté le temps de son karma. Il avait résisté à la tentation de la projection astrale. Son karma était de compléter son cycle de vie. Mais je refusai de faire face à la réalité de l'horreur d'en bas.

Mon corps n'était pas mort. Il était encore intact et pas atteint par la désintégration de la Terre. Je n'arrivais pas à surmonter ma terreur et mon sentiment de culpabilité. Dans une volonté de suivre mon maître sur un plan plus élevé et plus spirituel, je coupai mon cordon argenté et commis un suicide astral. Je m'attendais à être projeté vers le haut sur les traces de mon maître. Au contraire, je culbutai dans l'espace, d'une manière désordonnée. Une amnésie spirituelle m'envahit et je sombrai dans un état comateux. J'étais redevenu un esprit androgyne.

A travers l'espace et le temps, je tombais... tombais... tombais. J'étais perdu dans une sorte de limbe obscur. Je me sentais sans but, vide de sens. Après une éternité, je me réveillai sur un plan astral. Je me trouvai sur une grande table en cristal. L'archange Michel et son âme sœur, l'archange Ariel, se dressaient au-dessus de moi. Leurs ailes frémissaient, parcourues de hautes fréquences électromagnétiques. Leur attitude bienveillante était aussi ferme et mécontente à mon encontre.

Ariel parla. Je reconnus la vibration de sa voix entendue quelques semaines auparavant sur le Chemin de Compostelle. Ariel et les trois autres archanges étaient androgynes. Ariel me dit :

– Lemuria ou le Jardin d'Éden se trouvaient dans un état de conscience équilibrée. Les âmes vivaient dans l'harmonie jusqu'à ce que l'une d'elles goûte au fruit de l'arbre de la connaissance du bien et du mal. Avec le développement de l'ego, les hommes se sont querellés. Ils ont oublié leur énergie qui leur permettait de se guérir et de se protéger. L'âme *est* tout. Tu dois accomplir ce que tu es – une âme divine incarnée. Souviens-toi de la leçon de Lemuria... un jour peut-être tu pourras contribuer à restaurer le futur Éden.

Ariel s'interrompit et me dévisagea. Je me sentais insignifiant.

– Ta dette est plus essentielle que ta punition, continua Ariel. Tu as créé une nouvelle famille à la suite de ta division sexuelle. Ta famille dépend de toi. Ta mission karmique n'était pas achevée à Atlantis lorsque tu as décidé de partir. C'est un crime karmique de quitter le monde physique avant son temps. Tu n'es pas juge.

J'écoutais avec humilité le jugement d'Ariel. En même temps, je ne comprenais pas.

– Quant à toi, poursuivit Ariel en incluant d'un geste les autres archanges dans cette décision collective, tu es interdit de réincarnation jusqu'à la fin de la civilisation d'Atlantis, après quoi tu renaîtras pour servir l'avenir de l'humanité. Tu resteras sur la Terre jusqu'à la fin de l'âge adamique, au tournant du vingt et unième siècle, époque à laquelle tu décideras combien de temps tu désires rester dans ton corps.

– Nous ne punissons jamais, dit Michel. Chaque âme se punit elle-même.

Je vis une lumière dorée envelopper Ariel et ses compagnons, elle se dilata jusqu'à m'englober aussi. Au fur et à mesure de son expansion, je comprenais mieux les paroles.

Ariel m'apparut comme une matrice d'or qui m'enveloppait pendant que je me transformais. Les ailes d'ange de Michel s'agrandirent jusqu'à nous couvrir, Ariel et moi. Je me sentis régresser spirituellement à la position fœtale jusqu'à me sentir réduite à devenir un nourrisson.

J'étais protégé dans la matrice d'or d'Ariel.

– Quand tu retourneras à Atlantis pour compléter ton karma, dans la civilisation que tu as désertée, tu aideras à la construction d'un monument pour la préservation des archives de la connaissance. Tu participeras à la construction d'une Bible dans la pierre. Cela sera un instrument cosmique. Les instructions pour le déchiffrer seront gravées en or et placées sur les parois des murs de pierre. Nous espérons que ces inscriptions demeureront intactes car elles serviront d'instruments de communication pour les êtres qui voyagent à travers le cosmos. Les maîtres sur terre seront formés dans ce monument situé à l'épicentre de la Terre, en Égypte. Ce lieu devrait être à l'abri des catastrophes qui surviennent tous les 6 666 ans. Dans cette structure pyramidale, seront archivés les événements passés, présents et futurs. Ce monument sera une machine à mesurer le temps cosmique. Elle rappellera aux générations que sans l'intelligence spirituelle, l'humanité est condamnée. Tu seras l'un des architectes de l'avenir de l'humanité. Ainsi rembourseras-tu ta dette karmique.

Tandis que ses paroles résonnaient, la chaleur enveloppante d'Ariel me procurait un réconfort émotionnel.

Puis, je recommençai à dégringoler dans l'espace en sachant qu'Ariel m'accompagnait.

Je regardai sous moi. Lemuria avait disparu sous les vagues de ce qui est maintenant l'océan Pacifique. Des millions d'âmes m'entouraient, flottant vers le ciel, en ayant accompli leur karma individuel. Je me demandai si Ariel et Michel avaient parlé à chacune d'entre elles. Il n'y avait pas de réponse car chacun de nous avait une relation individuelle avec la déité qui ne pouvait être jugée par les autres. Je commençai à comprendre la signification de : « Ne juge pas et tu ne seras pas jugé. »

La houle de l'océan, en bas, se soulevait et retombait selon un rythme régulier et lent. Je me sentis culbuter dans les limbes, puis précipitée dans un tunnel pour en ressortir étendue sur la couchette supérieure d'un refuge abandonné dans un village du nord de l'Espagne.

19

Un sentiment de solitude me submergea. L'expérience que j'avais subie serait incompréhensible pour ceux avec qui j'essaierais de la partager.

J'enfilai mes bottes, descendis de la couchette, repliai mon sac de couchage et sortis du refuge.

J'avais besoin de sentir les cailloux et la terre sous mes pieds. Il me fallait des gouttes sous mes paupières et peut-être le bourdonnement des moustiques pour me ramener à la réalité.

Quel était le sens de ce que j'avais vécu ? Pourquoi avais-je arpenté le Chemin avec une telle persévérance et une telle détermination ? Les pèlerins du passé avaient-ils été aussi obsédés que moi ? N'étions-nous que des perfectionnistes de la spiritualité ? Ma curiosité sur mon identité était-elle si intense que je voyais plus que ce que je pouvais assimiler ? Mon âme qui murmurait à mon oreille poussait-elle maintenant un cri cosmique ?

Je marchai plus vite, en tirant de mes poches des noix et des fruits secs. Je touchai ma croix d'or et respirai profondément. Mon seul désir était de terminer le pèlerinage.

Je devais rencontrer José aux environs de la prochaine bourgade dont je ne connaissais pas le nom.
Tout à coup, une voiture s'arrêta près de moi. Effrayée, je regardai à l'intérieur. Anna se tenait à l'arrière.

– Tu as une place dans l'avion de Madrid demain soir, dit-elle. Le 4 Juillet. Attends-toi à voir la presse sur le mont de la Joie, qui domine Compostelle. Si tu n'en veux pas, fuis-les.

Elle rit et repartit à fond de train.

Je continuai à marcher jusqu'à ce que j'aperçoive José qui m'attendait dans sa voiture. Je courus vers lui et montai.

– Nous devons attendre ici Juan, Ali et Carlos, dit-il.

J'acquiesçai et lui dis que j'étais fatiguée pour ne pas avoir à parler. Je m'endormis, le visage tourné vers le ciel. Quand je me réveillai, José me dit que nous avions attendu Juan, Carlos et Ali pendant trois heures. Trois heures précieuses durant lesquelles j'aurais pu marcher vers Saint-Jacques-de-Compostelle.

– Allons au prochain lieu de rendez-vous, dis-je.

Il y avait des journalistes au loin. Je me baissai aussitôt. Au refuge, je me rendis compte qu'il y avait un malentendu. Ils nous attendaient là.

Juan était furieux.

– Eh bien, j'ai apporté votre yaourt et un soda à l'orange. Pourquoi avez-vous été si vague sur le lieu de notre rendez-vous ?

Cela piqua Ali au vif.

– Tu es arrogant ! s'écria-t-elle. Je t'avais bien dit que nous n'étions pas à la bonne distance de la ville.

– Ce n'est pas vrai ! hurla Juan.

Ils continuèrent à se disputer d'une manière que je n'arrivais pas à suivre. (Je me demandai s'ils avaient été mariés à Atlantis.)

José interrompit la discussion.

– On se calme. Tirons le meilleur de chaque jour, non le pire.

Nous nous sommes mis à table pour manger du yaourt, du fromage et des amandes grillées.

Juan ne pouvait accepter le malentendu. Il continua à ratiociner sur qui avait tort et qui avait raison. Puis il en endossa la responsabilité. Il s'éloigna et s'appuya contre un arbre en disant :

– C'est trop pour moi! Trop dans une journée! Vous êtes une célébrité, je suis soupçonné d'être un espion, de tout balancer à la presse et d'enregistrer vos conversations. C'est ma faute si nous avons perdu trois précieuses heures. Mais si vous n'aviez pas décidé de fuir la presse, cela ne se serait pas produit.

Personne ne l'avait accusé. Nous le dévisageâmes. Il s'était piégé lui-même en culpabilisant.

– Bon, dis-je. N'en parlons plus.

J'entrai dans le refuge et lavai mon linge et mes chaussettes dans le lavabo de la salle de bains où Juan me suivit.

– Je suis un perfectionniste, dit-il.

– Non, dit Ali qui nous rejoignit. Un perfectionniste est un être obsédé par le désir d'être parfait.

Je dis finalement :

– Nous apprenons tous des choses sur nous-mêmes, ici. Le monde est fait de personnalités variées. Ne pensez-vous pas que le Chemin révèle en nous des faits que nous ne connaissions pas?

Ils cessèrent de parler. Si seulement ils avaient compris ce que je voulais dire.

– Poursuivons la route, dit Carlos.

– Prenez ma voiture, dit José. Juan, tu conduiras la tienne tout seul.

– Je vais marcher, dis-je, j'ai besoin de réfléchir.

Ils s'entassèrent dans la voiture de José. Je les regardai partir. Mes sous-vêtements flottaient au vent tandis qu'ils démarrèrent sur les chapeaux de roue, leurs voix se perdirent dans l'air chaud du soir d'Espagne.

Je sentais mauvais; mon visage était marbré de coups de soleil; mes ongles craquaient; mes bras, mes jambes, mes mains et mon visage étaient couverts de piqûres d'insectes que je ne connaissais pas. Les racines foncées de mes cheveux avaient poussé d'au moins cinq centimètres. Mes pieds étaient aussi durs que des sabots, mon œil gauche était rouge et infecté. J'étais seule mais étrangement heureuse.

Je continuai à marcher – pendant le reste de la journée. La nuit tombée, je me reposai quelques heures auprès d'une route, sous des arbres. Je n'avais plus besoin de sommeil car les endorphines du « bonheur de l'accomplissement » le remplaçaient. Je n'avais besoin que d'eau. Pour échapper aux journalistes, je serais obligée de marcher sans pause jusqu'à Saint-Jacques-de-Compostelle. Je résolus de ne pas m'arrêter au mont de la Joie où un refuge dominait Compostelle. Il avait été nommé ainsi en raison de la joie profonde des pèlerins en atteignant la colline d'où l'on pouvait entrevoir pour la première fois Saint-Jacques-de-Compostelle. La joie de la fin du voyage. J'allais me priver de cette joie parce que, honnêtement, je ne la sentais pas. Je sentais quelque chose d'indéfinissable... une sorte de « savoir ». Je savais que mon vrai voyage *commencerait* à la fin de celui-ci. Anna avait dit : « Le vrai voyage commencera lorsque tu auras assimilé ce que tu as appris pendant le Chemin. »

Je poursuivis ma route, plus déterminée que jamais. Je m'en tiendrais à mon plan d'arriver le jour de la fête de l'Indépendance des États-Unis. J'étais la fille de ma mère.

Plus j'approchai de Compostelle, plus il devenait difficile de trouver les flèches. Je n'en comprenais pas la raison.

La presse croyait que je me trouvais à une journée de marche derrière elle.

Le Chemin conduisait sous un pont où la bouse de vache avait dix centimètres d'épaisseur. On dit que la voie spirituelle devient plus profonde lorsqu'on se complaît dans la négativité et plus étroite lorsqu'on approche de sa vérité.

Ne serait-ce pas le comble de découvrir que mes visions n'étaient pas le produit de mon imagination, mais représentaient au contraire la Vérité ? Je vivais dans un monde qui s'en moquerait, mais en « réalité » peut-être riront-ils les derniers ? Si les sceptiques étaient des fous ?

Tandis que je marchais dans les excréments, je savais que le fait le plus important consistait à s'examiner, centré sur soi-même. Au cours de mon introspection, je m'étais révélée des vérités que je n'aurais jamais pu imaginer. Je m'identifiais avec mon moi multidimensionnel pendant que je marchais. Me permettrais-je d'être ces divers « moi » lorsque j'aurais achevé le pèlerinage ?

J'essuyai mes bottes crottées en atteignant l'autre extrémité du pont. Carlos accourut vers moi en faisant de grands signes.

– La presse ! cria-t-il surexcité. Ils sont là-haut ! Nous ne savons pas comment ils ont su ! Était-ce Juan ? José ?

Il m'attrapa par le bras et m'entraîna dans la direction opposée, sur la route. José nous attendait dans sa voiture. Carlos m'y poussa. José me conduisit à travers la horde de journalistes et il me déposa plus loin.

Je courus jusqu'à un petit café. J'y entrai pour réfléchir. Je commandai un soda à l'orange. Je me retournai et vis Juan. Oh ! mon Dieu ! C'était donc lui.

– J'ai parlé à la presse, dit-il. Je leur ai dit que vous ne vouliez pas que les reporters vous prennent en photo parce que vous croyez qu'ils vous voleraient votre âme.

Doux Jésus ! Je voyais déjà les gros titres des journaux.

Juan partit et je m'éclipsai par la porte de derrière. Je m'enfuis. Mon sac à dos se trouvait dans la voiture de José. Il était facile de me déplacer rapidement. Je reconnus devant moi une silhouette familière : Consuelo, la chanteuse brésilienne. Je la rattrapai. Ses pieds étaient guéris. Elle marchait vite. Elle et son mari avaient décidé de ne plus divorcer. Tandis que nous courions côte à côte, elle compatit à mes problèmes de harcèlement par la presse. Elle n'avait pas lu mes messages sur le livre d'or des refuges.

– Je veux arriver à Saint-Jacques, ce soir, dis-je.

– Courir jusqu'au bout sans dormir? demanda-t-elle.

– Oui.

– D'accord. Je vous accompagne, dit-elle, enchantée de relever le défi.

Nous avons couru pendant quinze kilomètres sur un rythme soutenu. Elle me parla de ce qu'elle et son mari avaient appris sur eux-mêmes pendant le Chemin.

– Nous avons marché séparément le premier mois. Nous communiquions par les messages laissés dans les refuges. Au bout d'un mois, nous avons décidé de rester ensemble.

– C'est vraiment romantique.

– Non, répondit-elle. Nous sommes enfin devenus vrais à l'égard l'un de l'autre.

– La vérité est une bonne chose.

Consuelo éclata de rire. Je me demandai à quoi ressemblaient ses visions-rêves.

Il se mit à pleuvoir. Nous nous sommes trompées à un carrefour. J'enfilai ma veste en Goretex. Je me remis à courir. Une voiture nous attendait. Consuelo me rattrapa. Nous courûmes à la voiture. C'était José, avec Ali et Carlos. Nous roulâmes à la recherche d'une flèche jaune. Alors nous descendîmes de voiture et nous suivîmes la grand-route. Carlos nous suggéra de prendre le petit sentier du Chemin. Bientôt nous tombâmes sur un barrage de caméras de la télévision. Consuelo courut devant moi en couvrant mon visage de son bras. Elle ressemblait à une chauve-souris rouge qui me protégeait de son large poncho écarlate.

Nous nous mîmes à chanter « I want to hold your hand » mêlé à des « Ave Maria ». Ali ne pouvait pas suivre. Carlos resta avec elle. Je ralentis et sortis des pesetas du porte-monnaie que je portais à ma ceinture. Je voulais qu'elle donne un pourboire à José.

– C'est trop, dit-elle en haletant. Je vais lui donner aussi...

Il avait mon sac à dos. Si je ne le revoyais pas, il fallait qu'il m'envoie mes précieuses cassettes. Elle me promit d'y veiller. Je fourrai une liasse de billets dans sa main, je lui envoyai un baiser en criant « *Ultreya* » et la dépassai. Les reporters TV ne purent me rattraper parce que leurs caméras étaient trop lourdes.

Je me retournai en les regardant pour les fixer dans ma mémoire. Je ne les ai jamais revus.

Consuelo et moi passâmes en courant au pied de la montagne de la Joie. Nous atteignîmes une pancarte sur la route qui indiquait Saint-Jacques-de-Compostelle. Il y avait des centaines de caméras de télévision. Je levai mon bâton et avec la pluie qui dégoulinait sur mon visage chantai : « Saint-Jacques me voilà ! » sur l'air de « California here I come ! ». Consuelo se joignit à moi. Ils eurent cette photo-là, avec un accompagnement musical.

Nous avons couru en échappant à la presse pendant une dizaine de kilomètres, jusqu'à parvenir devant des marches en pierre. Une voiture s'arrêta devant nous. Anna se trouvait à l'intérieur. Elle s'écria :

– Dépêchez-vous! Montez! Il y a des centaines de journalistes un peu plus loin. Vous avez traversé à pied les limites de la ville. C'est ce qui compte. Vous avez réussi. Maintenant il faut vous rendre à la cathédrale sans publicité.

Consuelo et moi, avec nos bâtons, fûmes conduites vers la cathédrale où nous allions rendre grâces à saint Jacques de Compostelle – le saint sans tête.

La presse ne savait pas où je me trouvais ni avec qui je marchais – Ali, Juan, Carlos, les Irlandaises, les Allemands, l'homme dans le fauteuil roulant ou une meute de chiens?

Enfin, nous arrivâmes devant la splendide cathédrale de Compostelle. Nous avons monté les marches de l'escalier en pierre. Édifiée au neuvième siècle, cette cathédrale est une merveille architecturale qui abrite les reliques de saint Jacques, derrière son imposant autel.

Un prêtre nous accueillit et nous mena devant la statue du saint qui surmonte l'autel. Selon la coutume, je grimpai les marches derrière la statue et restai là à contempler sa nuque. Anna prit une photo de moi enlaçant la statue. Je descendis et j'allai faire tamponner mon carnet – le dernier timbre – pour prouver que j'avais accompli le pèlerinage. Le prêtre dit que celui qui timbrait les carnets ne reviendrait pas avant demain. Anna le supplia dans son espagnol le plus éloquent. Il ne savait pas qui j'étais ni pourquoi j'étais si pressée. Finalement, il dit qu'il le signerait lui-même puisqu'il fabriquait les carnets.

Quelques journalistes pénétrèrent dans la cathédrale sans prendre de photos, par respect pour le lieu sacré. Le prêtre regarda par une fenêtre. Une foule de reporters encerclait l'église. Il me regarda, intrigué, sans rien dire. Alors, Anna lui dit qui j'étais et que je souhaitais quitter Saint-Jacques sans être importunée. Il hocha la tête et prononça le discours de circonstance sur le symbolisme du pèlerinage. Ensuite, il me lava les pieds conformément au rituel, en m'abreuvant de questions sur Hollywood.

A la fin, je lui demandai s'il existait une sortie secrète de la cathédrale. Plus je m'attardais là, plus je dérangerais l'achèvement spirituel des autres pèlerins.

Le prêtre ne savait pas comment gérer la situation Je demandai si je pouvais téléphoner. Il accepta. J'appelai l'aéroport en réservant un vol pour Madrid à 21 h 30. Il était 20 heures. Je ne savais pas où était José. Il avait toujours mon sac à dos, mais j'avais dans ma ceinture mes cartes de crédit, de l'argent liquide, mon passeport et ma croix. Je pouvais seulement espérer qu'Ali s'occuperait de José.

Je vis que les reporters montaient la garde à toutes les issues de la cathédrale.

Je trouvai une porte de sortie à l'arrière où il n'y avait qu'une seule équipe de télé. La voiture d'Anna s'y trouvait avec un chauffeur.

Je remerciai le prêtre en serrant mon carnet timbré contre ma poitrine, et j'embrassai Consuelo et Anna. Celle-ci me dit qu'elle me retrouverait à Madrid. En faisant un dernier signe d'adieu, je m'engouffrai dans la voiture d'Anna. L'équipe de télé ne fit pas attention à nous.

Je jouissais d'un triomphe personnel.

Le chauffeur m'emmena à toute allure vers l'aéroport. J'aperçus dans le rétroviseur José qui nous suivait dans sa voiture. Il nous rattrapa, baissa sa vitre et me jeta mon sac à dos. Je lui criai merci et lui tendis ma gourde et mon nouveau chapeau bleu en souvenir. Il sourit. Ali lui donnerait mon gros pourboire.

Moi et mon bâton, nous arrivâmes à l'aéroport. Je ne ressentais aucun sentiment sur ce que j'avais subi et accompli. J'avais marché pendant sept cent quatre-vingts kilomètres. Nous étions le 3 juillet. J'avais acquis mon indépendance la veille du jour requis. Je ne me suis posé qu'une question : avais-je dépassé mon banc ?

ÉPILOGUE
Le voyage continue

En montant à bord de l'avion, je me sentais comme une réfugiée, une réfugiée d'un autre âge.

Je portai mon fidèle bâton au-dessus de ma tête. L'hôtesse s'en empara et le rangea à l'arrière de l'avion.

Les autres passagers regardaient avec désapprobation mes cheveux décolorés, mon visage brûlé par le soleil, mes bottes crottées, mes jambières en lambeaux et mon sac à dos crasseux qui ne contenait que mes cassettes, mon guide, mon sac de couchage et mes tongs. Les gens essayaient d'être discrets mais le passager au-dessus duquel je grimpai et à côté duquel je m'assis n'était pas content. J'aurais voulu pouvoir mettre du parfum.

Je me calai dans mon siège en essayant de ne pas me faire remarquer.

L'avion décolla et je poussai un soupir de soulagement. Mon but était atteint. Qu'allais-je en faire maintenant ?

Je contemplai à travers le hublot le crépuscule d'été.

Au-delà de Compostelle, je vis les falaises du cap

Finisterre tomber dans l'Atlantique. Devant mes yeux se déroulaient les images oniriques que j'avais vues d'un continent autrefois magnifique qui avait provoqué sa propre destruction. Je songeais que j'avais fait le pèlerinage de Compostelle afin de comprendre de quoi nous étions capables en tant qu'être humain. Ne répétions-nous pas de tels drames aujourd'hui parce que nous avons oublié d'où nous venons?

Plongée dans ma rêverie, je regardai défiler sous moi mon Chemin bien-aimé, qui serpentait à travers les collines, les vallées fraîches et les mesetas desséchées par la chaleur. Les voyages intérieurs des autres pèlerins bouleversaient-ils leur esprit à tel point qu'eux aussi n'arrivaient pas à en parler?

Les refuges deviendraient-ils des lieux de retraite sûrs, en raison de ce que les pèlerins expérimentaient intérieurement?

Je planais au-dessus des chiens menaçants qui testaient ma peur; la meute de journalistes qui testait ma colère et ma vérité; les braves gens qui appréciaient le vrai « *ultreya* »; les églises à l'opulence ancienne et à l'obéissance spirituelle; et par-dessus tout, l'eau, source de vie des fontaines, qui rendait possible le Chemin.

Où se trouvaient maintenant Ali et Carlos? Étaient-ils en train de se disputer sur le véritable sens de Saint-Jacques? Les Irlandaises avaient-elles porté jusqu'au bout leur réchaud et leurs saucisses? Juan serait-il réprimandé par la presse pour ne pas avoir fourni un bon tuyau à mon sujet? José était-il fier de m'avoir aidée à échapper aux journalistes? L'homme en fauteuil roulant escaladerait-il à cent à l'heure l'escalier de pierre de la cathédrale de Compostelle avec l'aide de la grâce divine? Baby Consuelo chantait-elle aux pieds du saint? L'Allemand arriverait-il ivre? Javier essaierait-il encore de se glisser dans la couchette de quelqu'un? Les prêtres offraient-ils de solides bâtons aux pèlerins en espérant recevoir une donation en retour ?

En regardant le paysage en bas, je visualisais Charlemagne et ses armées se battant contre les Maures. Je me voyais en jeune fille maure galopant à cheval, cheveux au vent, et plus tard, balbutiant des injures obscènes dans une rivière glacée où j'avais été baptisée. Au-dessus planait la haute silhouette de John l'Écossais, le moine érudit qui répétait : « Rappelle-toi qui tu es et ce que tu as été. »

Je me retournai pour regarder encore une fois le pays que je venais de traverser. Faisait-il partie jadis d'un continent, monde inconnu qui avait sombré il y avait des milliers d'années ? Ce continent n'avait-il pas été colonisé par une civilisation spirituelle encore plus ancienne, le commencement de ce que l'humanité devait être ?

J'avais marché vers ces mondes inconnus, en quête de qui j'étais et de qui j'avais été.

J'imaginai revoir ces événements : les mondes inconnus qui sombraient dans les vagues de l'océan. Je songeai à notre monde actuel. L'histoire se répéterait-elle ? Nous n'avions pas l'air de percevoir notre connexion à la grande déesse mère, le Verbe, l'origine de TOUT.

Ce que nous nommons l'imagination est-elle fondée sur la mémoire de l'âme ? Saurons-nous un jour la vérité sur le vécu de notre âme et pourrons-nous rêver d'un avenir encore plus beau ? Pourrons-nous croire qu'un jour, des billions d'années plus tôt, l'Esprit divin s'était senti seul, et qu'il nous avait créés pour vivre comme une famille adorant la divinité de tout notre cœur, de toute notre âme et aimant notre prochain comme nous-mêmes ?

Je sortis ma croix d'or et la serrai dans ma main. Oui, je pouvais l'imaginer.

Anna arriva à Madrid un jour après moi. Je dormis pendant deux jours et je constatai que marcher sans l'énergie du Chemin était beaucoup plus fatigant. Je m'achetai un sac à main en cuir et me bourrai de sucreries. Je ne pouvais partager mon expérience avec Anna. C'était trop tôt. J'ai communiqué avec elle depuis, et lui ai expliqué que j'avais besoin d'écrire ce qui m'était arrivé plutôt que de le raconter. Nous sommes restées très proches. Elle retourna au Brésil. Je savais que « mon voyage – comme elle l'avait prédit – ne faisait que commencer ».

En quittant l'Espagne, j'allai chez Kathleen à Londres. J'ai partagé avec elle quelques-unes de mes expériences et de mes révélations. Elle avait beaucoup à surmonter.

– Je suis maintenant prête pour une révélation spirituelle, dit-elle avec tristesse.

Elle me remercia d'avoir accompli le pèlerinage, en partie pour elle. Elle aimait entendre mes histoires sur les collines, les mesetas, les cascades, sur les autres pèlerins, les chiens et même sur les journalistes. A propos de Lemuria et d'Atlantis, elle pensait que j'avais une imagination débordante. Quand je lui demandai de définir l'imagination, elle s'endormit. Je ne pouvais lui en vouloir.

Je restai auprès d'elle pendant une semaine. Elle parla des heures sur sa vie, ses relations passées, sur ce qu'elle en avait fait ou pas fait.

Pendant mon séjour à Londres, je me sentis motivée pour marcher dans la ville et dans les parcs. Je me sentais nue sans mon sac à dos. Alors, je le portais quelle que soit ma tenue.

Je fis mes adieux à Kathleen, sachant que je ne la reverrais sans doute jamais.

Lorsqu'elle mourut, quelques mois plus tard, la perte de son amitié marqua pour moi le début du récit de nos efforts communs pour comprendre qui nous étions par rapport aux autres, au temps, à l'histoire, et pourquoi nous nous sentions si concernées.

Sa dignité de reine, son esprit généreux, sa beauté fragile et sa séduction demeureront dans ma mémoire. C'était une femme en quête de la signification de l'intelligence et de la notion du paradis perdu. Elle avait passé à sa vie à trouver le sien.

Bien qu'Ali et Carlos et moi-même ayons échangé nos adresses, je n'ai plus eu de leurs nouvelles. C'était comme si notre expérience commune demeurait isolée dans le temps, unique et impossible à revivre.

Je n'ai pas eu de contact avec la personne qui m'a envoyé les lettres anonymes qui m'ont influencée pour faire le Chemin. Je n'ai pas la moindre idée sur l'origine de ces lettres.

Mon grand regret est de n'avoir pas pris de photos, mais les images à une dimension n'auraient pas rendu justice à cette expérience. Les seules photos qui existent sont celles prises par la presse.

Puis-je prouver que Lemuria et Atlantis ont existé ? Bien sûr que non. Mais si je peux les « imaginer » avec tant de détails, d'où cela provient-il ? Des abîmes de mes mémoires anciennes ? J'ai une âme qui en sait plus que je ne peux le comprendre avec mon esprit. J'ai la certitude d'avoir vécu des vies antérieures et de vivre d'autres vies futures. L'abondance de synchronicité entre certaines relations que j'ai eues me le prouve.

Est-ce qu'un événement de l'importance de la division des sexes est arrivé il y a des milliers d'années ? Les mythes ne sont pas des concepts isolés, surtout lorsqu'ils apparaissent dans des cultures différentes. Si nous nous considérons comme des ingénieurs génétiques aujourd'hui, grâce aux découvertes sur l'ADN et le clonage, pourquoi n'aurions-nous pas opéré le même genre d'expérience dans une société avancée, il y a bien longtemps ? L'absence de preuves n'est pas la preuve de l'absence de ces événements. Je pense que les humains se sont toujours amusés à jouer le rôle de Dieu puisque cette énergie créatrice existe en chacun de nous.

La division sexuelle est peut-être le fondement du désir de tant de gens à trouver l'autre part d'eux-mêmes chez une autre personne. Cela explique aussi les conflits et les malentendus entre l'homme et la femme.

Le rôle de l'influence extraterrestre est-il évalué dans notre évolution humaine ?

Pourquoi serions-nous seuls dans la vie cosmique du vaste univers ? De nombreux indices portent à croire que des extraterrestres nous ont visités et sont en train de nous visiter actuellement.

Il est donc temps de faire la lumière sur des faits dissimulés et de nous ouvrir à de nouveaux horizons en reconnaissant le potentiel de cette nouvelle dimension.

L'énergie terrestre recèle les mystères de nos origines spirituelles. Pendant que je marchais à la surface de notre planète, je prenais conscience qu'il est essentiel de la protéger. Nous assurerons son équilibre et son harmonie dans la mesure où nous sommes nous-mêmes équilibrés et harmonieux. Si la nature suit la conscience, c'est à nous de demeurer dans l'harmonie afin que la Terre le reflète. Le temps, qu'est-ce que c'est ? Est-il si flexible que nous sommes capables de tout expérimenter à la fois ?

La légende veut que Bouddha ait fermé les yeux pendant un instant durant lequel il a vécu 99 000 incarnations. Son sens du divin était si profond qu'il pouvait modifier le temps.

Mon expérience n'était-elle qu'une prise de conscience accrue par l'énergie du Chemin ?

Et l'imagination ? Quel est le rapport de chacun d'entre nous avec ce que nous percevons comme réalité? Nous sommes tous des créations de nous-mêmes. C'est le miracle artistique de l'humanité. Nous avons expérimenté le « bien » et le « mal » et chacune de nos vies nous apprend une leçon tandis que nous voyageons vers le divin. Les plus profondes intuitions sont souvent considérées comme socialement inacceptables ou comme des fantasmes. Devrions-nous en être convaincus parce que moins que cela ne serait pas digne de Dieu?

Tout est simple. Nous sommes issus du divin; nous créons avec cette imagination créatrice jusqu'au moment où nous y retournons. Vies après vies.

Et John l'Écossais? Il me rend visite de temps en temps. Il était à mes côtés pendant que j'écrivais ce récit. De même que l'énergie de la croix d'or que je porte tout le temps. Je le considère comme mon ami et mon maître, car il m'a appris que nier son existence ou ce que j'ai « appris » serait renoncer à mon talent et à ma créativité.

Chacun de nous peut tout créer. Encore une fois, l'absence de preuves n'est pas la preuve de l'absence d'événements.

Imaginez ça!

Cet ouvrage a été réalisé par la
SOCIÉTÉ NOUVELLE FIRMIN-DIDOT (Mesnil-sur-l'Estrée)
pour le compte de LA LIBRAIRIE PLON
76, rue Bonaparte, 75006 Paris

Achevé d'imprimer en novembre 2000

Imprimé en France
Dépôt légal : novembre 2000
N° d'édition : 13288 - N° d'impression : 53414